心を整える。

勝利をたぐり寄せるための56の習慣

長谷部 誠

目次

第2章 吸収する。 45

第3章 絆《きずな》を深める。 67

まえがき

時折、ふと頭をよぎることがあります。

「中学、高校と各年代の日本代表に選ばれなかった僕が、なぜ日本代表に選ばれるのか」

突き詰めて考えているわけではないのですが、たまに頭をよぎるのです。

僕には突出したテクニックがあるわけでもないですし、試合を決定づけるフリーキックを得意にしているわけでもありません。監督やサッカー関係者からしてみたら、評価しづらい選手です。でも、僕は生き残ってきました。

「藤枝《ふじえだ》東でサッカーがしたい！」

中学3年の途中から必死に勉強して、藤枝東高校に入学しました。高校のサッカー部では突出した戦績を残せなかったですけれど、浦和レッズが声をかけてくれて、プロサッカー選手になりました。レッズでは2年目からレギュラーになり、いくつものタイトルを獲得。そして、日本代表に定着していないなかで、ドイツに移籍し、2年目にはリーグ・チャンピオンに輝きました。

人はよく「ハセは運がいいね」と言います。そう言われれば僕は「そうだね」と答えます。でも本音は違います。ただ、「どう違うんだ？」と聞かれたら、うまく答えることはできませんでした。

でも、それではいけないと常々思っていました。

「僕がここまで来られた。その理由をきちんと説明できれば、きっと誰かの人生のヒントになる」

弱冠27歳の僕が、こうして本を出すということに抵抗がないわけではないですが、僕は本を書くことによって、自分と向き合ってみようと考えました。


僕のキーワードは「心」です。僕は「心」を大切にしています。スポーツ業界などでよく言われる「メンタル」という言葉で言い換えてもいいです。ただ、よく「メンタルを強くしよう」「心が折れちゃダメだ」「心を磨け」などと言われることがありますが、僕の感覚はちょっと違います。

僕にとっての「心」は、車で言うところの「エンジン」であり、ピアノで言うところの「弦《げん》」であり、テニスで言うところの「ガット」なのです。？？？　という感じかもしれませんが、「メンタルを強くする」と言うよりも、「調整する」「調律《ちょうりつ》する」と言った方が適している感覚。車のエンジンに油をさし、ピアノの弦を調律する、そして、テニスのガットを調整する。そんな感覚を心に対して持っているのです。

つまりは「心をメンテナンスする」「心を整える」ということ。僕はそれを常に意識して生活しています。常に安定した心を備えることによって、どんな試合でも一定以上のパフォーマンスができるし、自分を見失わなくてすみます。

生活のリズム、睡眠、食事、そして練習。日々の生活から、心に有害《ゆうがい》なことをしないようにしています。ちょっとでも心が乱れたら、自分で整えるようにしているのです。

「な～んだ、簡単だなぁ」。そう思うかもしれません。でも、これが今はとても難しいんです。

僕と同年代の方を例にとると、メールは頻繁《ひんぱん》にくるし、携帯電話もガンガン鳴ります。メールがきたら、すぐに確認しないと落ち着かないという人も多い。インターネットやゲームをすれば、時間はあっという間に経ってしまいますし、夜の街に出れば、深夜まで営業している店は数多くあり、時間を潰《つぶ》す手段には困りません。

24時間息つく暇がまったくないのです。そして、そういう日々に慣れてしまうとちょっと間ができたら、逆に落ち着かなくなって、何をしたらいいか分からなくなってしまうのです。

日々そうやって過ぎ去っていくと、自分を見つめる時間もないですし、心が荒《すさ》んでいく一方なのではないかと僕は思います。サッカー選手で言えば、自分の問題点や解決策を考えずに闇雲《やみくも》に練習したり、集中力を欠いてケガを誘発《ゆうはつ》してしまったりします。

「心を整える。」

なんの変哲《へんてつ》もないタイトルなのですが、僕が伝えられることはこれに尽きます。

これといった長所もなく、華麗な経歴もない僕がここまで生き残ってこられたスキルと概念《がいねん》です。読んでいただいた方に、何かひとつでもヒントや気づきがあれば嬉しいです。

長谷部　誠

第1章

心を整える。

01→11

01

意識して心を鎮《しず》める時間を作る。

南アフリカ・ワールドカップ期間中、日本代表が拠点にしていたジョージのホテルには、選手のリフレッシュのために、いろいろな小道具が用意されていた。卓球、ダーツ、テレビゲーム……。また、ホテルはゴルフ場の施設内にあったので、もちろんゴルフもできる。このようなサッカーから離れた遊びが、選手たちの気分転換に一役買っていた。けれど、僕は何もやらなかった。

それには理由があった。

一日の最後に必ず30分間、心を鎮める時間を作りたかったのだ。

大会期間中はチームとして行動するので、練習やミーティングのためにプライベートの時間が限られている日が多かった。みんなとわいわい騒ぐのは楽しいけれど、時間があまりない日に遊びに参加してしまうと、「心を鎮める30分」を作れない。だから僕は、チームとしての行動が終わると、すぐに自室に戻るようにしていた。年下のチームメイトからは「ハセさん、付き合い悪いっすよ」と冗談交じりに言われたけれど、この時間だけは譲《ゆず》れなかった。

部屋に戻る。電気をつけたままにして、ベッドに横になる。音楽もテレビも消す。そして、目を開けたまま、天井を見つめるようにして、息を整えながら全身の力を抜いていく。

壁の模様を見て、ひたすらボ～ッとしていてもいいし、頭に浮かんできたことについて思考を巡《めぐ》らせてもいい。大事なのはザワザワとした心を少しずつ鎮静化していくことだった。練習と緊張でざらついた心をメンテナンスしてあげるのだ。

ベッドに横になると寝てしまうのでは？　と思う方もいるかもしれないけれど、僕は「寝よう」と自分で思わない限り、眠ることはまずない。大人になってから電気やテレビをつけたまま寝てしまったことはないし、昼寝のときには必ずカーテンを閉めて真っ暗にするほどだ。

ワールドカップでは、開幕直前にゲームキャプテンを任され、自分は何をすべきなのか、正直戸惑った。当時26歳でメンバーの中で中間くらいの年齢の人間に、はたしてゲームキャプテンが務まるものなのか。どう振舞《ふるま》うべきなのか。

自分がゲームキャプテンになったことで、チームの雰囲気が悪くなるようなことは絶対に嫌だった。まわりに一挙手一投足《いっきょしゅいっとうそく》、見られているというくらいの心構えで、ゲームキャプテンという役目を全《まっと》うしようと思っていた。

しかし、僕は初戦のカメルーン戦と第2戦のオランダ戦では、後半途中で交代を命じられてしまった。キャプテンマークを巻いた人間が、試合途中でピッチの外に出るなんて自分のなかでは絶対にありえない。不甲斐《ふがい》ないプレーしかできない自分が本当に情けなかった。

迷い、葛藤《かっとう》、悔しさ。いろいろな思いが胸に去来《きょらい》し、大会期間中は気持ち的にギリギリのところで戦っていた。そんななか、唯一、心が休まるのは自分の部屋だけだった。

だからこそ、心を鎮める30分間が僕には欠かせなかった。


この習慣を始めたのはドイツに移籍してからのことだ。

オフに帰国できるのは夏と冬の年2回のみ。夏は約1ヵ月、冬は約2週間。僕は短いオフの間に、ひとつでも多くの用事をこなそうと思って、帰国のたびに30分刻みの予定表を作っていた。

だが、これでは忙しすぎて心身ともに磨《す》り減ってしまう。人に会って移動して、人に会って移動しての繰り返し。途中でクタクタになってしまい、頭がまわらず、会ってくれた人にも失礼なことをしてしまったこともあった。せっかく休暇で帰ってきているのに逆効果になっていた。

そんなとき京セラの創業者、稲盛和夫《いなもりかずお》さんの本にあった、次の言葉に出あった。

「一日1回、深呼吸をして、必ず心を鎮める時間を作りなさい」

まさに当時の僕に必要な習慣だった。それから僕は、帰国してどんなに忙しいときも、部屋でひとりになる時間を作り、スケジュールを詰め込みすぎないようにした。

ワールドカップの期間中、心を鎮めることは僕にとって大切な作業だった。この習慣があったからこそ、どんなに葛藤を抱えても、翌朝には平常心で部屋を出て行くことができた。

02

決戦へのスイッチは直前に入れる。

試合までの「気持ちの準備」の方法で選手を分けるとすると、主に2つのタイプがある。

ひとつは試合の2、3日前からだんだんと気持ちを高めていくタイプ。試合のいろいろな状況を想像して、イメージトレーニングを重ねていく。試合前日の雰囲気やコメントを見ると、多分、本《ほん》田《だ》（圭佑《けいすけ》）はこのタイプなのかなと思う。ワールドカップでフリーキックを決めたデンマーク戦後に、「イメージしていたとおりになった」とテレビの質問に答えていたのも聞いた。

もうひとつは、試合直前までなるべくいつもと変わらない心理状態を保っておき、試合当日にスイッチを入れるタイプだ。雑誌のインタビューで佑二《ゆうじ》さん（中澤《なかざわ》）がこのタイプだと言っているのを読んだことがある。

もともと僕は、どちらかと言うと前者のタイプだった。試合の2、3日前から実戦をイメージして、本番に臨むことが多かった。しかし、ある試合の準備で大失敗したのをきっかけに、僕には後者の方が向いているかもしれない、と考えるようになった。

2007年のJリーグ最終節、横浜FC戦のことだ。

このシーズン、浦和レッズはＪ１の首位を快走しており、一時は２位に勝ち点差10をつけ、優勝は間違いないと言われていた。

しかし、シーズン終盤に暗雲《あんうん》が垂れこめてくる。レッズはアジアチャンピオンズリーグ（以下ＡＣＬ）との両立に苦しみ、次第に調子を落としていってしまうのだ。第30節の名古屋グランパス戦から３試合連続で引き分けて勝ち点３しか積み上げられず、その後の33節、２位鹿島アントラーズとの首位攻防戦を０対１で落としてしまった。

最終節を前にして、気がつけば２位アントラーズとの勝ち点差はわずか１。もし最終節でレッズが横浜ＦＣに負け、２位のアントラーズが清水エスパルスに勝利すれば首位が入れ替わる、という状況に陥《おちい》ってしまった。当然、アントラーズは勝ってくる。だからこそ僕らは絶対に負けるわけにはいかなかった。


試合前日、僕はこれまでに味わったことがない重圧を感じていた。

相手はすでに２部降格が決まっている最下位の横浜ＦＣ。それまで横浜ＦＣは年間わずか３勝しかしておらず、サポーターもメディアもレッズが勝って当たり前という空気だった。しかし、僕は逆にやりづらさを感じていた。試合が行われるのは相手のホームだし、すでに２部落ちが決まってしまっている分、開き直ってプレーできると思ったからだ。それに当時の横浜ＦＣには、カズさん（三浦知良《みうらかずよし》）、山口素弘《もとひろ》さん、三浦淳宏《あつひろ》さん、小村徳男《おむらのりお》さんといった元日本代表の経験豊富なベテランもいた。

MFの自分としては、キックオフから積極的に攻めるべきなのか、それともリスクを避けて慎重にプレーするのがいいのか。そんなことを試合前日のホテルで考え出したら、目がさえてきてしまった。照明を落とし、ベッドに横になって、目をつむっても一向に眠くならない。試合のことを気にしないようにすればするほど、逆に試合のことが気になるという悪循環であった。

それでも僕はいつの間にか眠った。しかし、それも一瞬だった気がする。カーテンの隙間《すきま》から朝の光が差し込み、目を覚ました。頭の芯がどこかボンヤリしていて、明らかに睡眠が足りなかった。優勝がかかった大一番だというのに、僕はコンディション調整に失敗したのだ。


浦和の先発メンバーは、GK都築龍太《つづきりょうた》、DF細貝萌《ほそがいはじめ》、坪井慶介《つぼいけいすけ》、阿部勇樹《あべゆうき》、ネネ、MF鈴木啓太《すずきけいた》、平川忠亮《ひらかわただあき》、ポンテ、僕、FW永井雄一郎《ながいゆういちろう》、ワシントン。田中マルクス闘莉王《トゥーリオ》が出場停止だったことを除けば、ほぼベストメンバーだ。

会場は日産スタジアム。天候は晴れ。気温は14・2度を記録していた。絶好のサッカー日和。観客数は4万6697人。優勝を期待してくれた、レッズサポーターが会場を埋め尽くし、舞台は整っていた。

だが、僕はみんなの足を引っ張ってしまう。身体が思うように動かず、試合に入っていけない。前半17分、カズさんのパスから根占真伍《ねじめしんご》に決められ、前半を1点ビハインドで終える。ホルガー・

オジェック監督は後半早々から、DFのネネを交代させ、FWの達也《たつや》（田中）を投入し、攻撃のカードを増やした。しかし、僕のパフォーマンスは一向に上がってこないうえに、64分にはイエローカードまでもらってしまう。

結局試合はこのまま終了。0対1の敗戦――。横浜FCは実に21試合ぶりの勝利だった。アントラーズがエスパルスに勝ったため、レッズは最後の最後で優勝を逃してしまった。

自分のサッカー人生で最も悔しい試合は何戦か？　と訊《き》かれたら、僕は間違いなくこの試合をあげる。サポーターにもチームメイトにも、本当に申し訳ないことをしてしまった。

オジェック監督は試合後、次のようなコメントを残している。

「目標であったリーグ優勝が達成できず、非常にがっかりしている。（中略）選手たちがメンタル面でかなり疲労しきっていたということが言えると思う。（中略）。もうひとつ考えられるのが、ACLの決勝で勝ったことで、長い期間保ってきた集中力が抜け落ちてしまったのでないか」

オジェック監督はこう擁護《ようご》してくれたが、僕個人としてはそうは思わなかった。ACLのことは過去のこととして、すっかり頭から抜けていたから、メンタル的な喪失《そうしつ》感などはまったくなかった。

すべては前日夜の調整不足だった。

落ち込んだことは落ち込んだけれど、二度とこんな失敗を繰り返さないために、どこに原因があったかを考えた。そこで至った結論は、「もしかしたら自分は、あまりイメージトレーニングをしすぎると、本番前に冷静さを失ってしまうタイプなのかもしれない」ということだ。

本番直前まで、なるべく試合のことを考えない方がいい。もちろん相手チームの分析は必要だけれど、それはミーティングやクラブハウスでなるべく済ませるようにした。

この試合以降、試合当日まではなるべく同じパターンで過ごし、試合直前に心のスイッチを入れるようにしている。具体的にはピッチのタッチラインを跨《また》いだくらいから、気持ちのスイッチを入れる。それがうまくいったこともあり、初めてのワールドカップという大舞台でも、平常心で臨むことができていたと思う。

もちろん、これは僕自身のやり方であって、人によってどう試合に臨むかのスタイルはまったく異なると思う。つまりは自分に合った準備の仕方を突き詰めて考えるべきということだ。

03

整理整頓《せいとん》は心の掃除に通じる。

ドイツには「整理整頓は、人生の半分である」ということわざがある。

日頃から整理整頓を心がけていれば、それが生活や仕事に規律《きりつ》や秩序《ちつじょ》をもたらす。だから整理整頓は人生の半分と言えるくらい大切なんだ、という意味だ。

このことわざに、僕も賛成だ。

試合に負けた次の日などは、何もしたくなくなって、部屋が散らかってしまうときがある。あの場面でああすれば良かったという未練や悔しさが消えず、自分の心の中が散らかってしまっているからかもしれない。そんなときこそ、整理整頓を面倒くさがらなければ、同時に心の中も掃除されて、気分が晴れやかになる。

今、僕はヴォルフスブルクの街中から歩いてすぐのアパートに、ひとりで住んでいる。部屋は全部で4つ。メゾネットタイプになっていて、下の階にダイニングルームとゲストルーム、上の階にリビングルームとベッドルームがある。

もともとはヨシトさん（大久保嘉人《おおくぼよしと》）がヴォルフスブルクでプレーしていたときに、奥さんと息子さんと3人で住んでいた部屋で、ヨシトさんが日本に戻ったときに入れ替わりで入居させてもらった。リビングにある大きなテレビはヨシトさんが置いていってくれたものだ。

当時は毎日のようにヨシトさんの家に行って、奥さんの手料理をごちそうになっていた。フェリックス・マガト監督の練習がどんどんハードになって、身体が悲鳴をあげそうになったときにはヨシトさんと「明日も頑張ろう」と励ましあった。優勝争いの重圧がのしかかったあのシーズンは、ひとりじゃ乗り越えられなかったと思う。ヨシトさん一家に心から感謝している。

この家の難点は部屋数が多いので掃除が大変なこと。掃除で身体が疲れてしまったら元も子もないので、週に1回、チームが手配してくれるお手伝いさんに掃除を任せている。

とはいえ、整理整頓は毎日のこと。

朝起きたら簡単にベッドメイキングする。本棚は乱れていたら整理する。ダイニングテーブルの上には物が散らかっていないようにする。ただ、あまり整理に対して気を遣《つか》いすぎると精神的に負担になるので、100点満点で言えば80点くらいの清潔感を保つようにしている。

きれいになった部屋を見たら、誰だって心が落ち着く。僕は心がモヤモヤしたときこそ、身体を動かして整理整頓をしている。心の掃除もかねて。

04

過度な自意識は必要ない。

僕はプロに入った当初、よく「胃薬」のお世話になった。

何か大きな重圧や緊張を感じると胃が痛くなってしまうのだ。ときには痛みがひどくなって、高熱を出して、うなされてしまうこともあった。

たとえば、初めて日本代表に選ばれたとき。

2006年1月、ジーコ監督率いる日本代表がドイツで開催されるワールドカップに向けた準備を行なうために、宮崎県で合宿を行なった。そのメンバーのひとりに当時22歳だった僕は初招集された。

「よし、やってやるぞ！」と気持ちがたかぶる一方で、日本のトップ選手たちが集まる場所に自分が参加するんだと思うと、「うまく馴染《なじ》めるのだろうか」「練習についていけるだろうか」と、急に不安になってきて、合流の日が近づくにつれて緊張が高まっていった。

迎えた合宿の初日。

痛い……。胃のあたりがキリキリする。

練習の方は問題なくついていけたけれど、知らない人が多いところに飛び込むと、気を遣うことが多い。廊下に出るときでも誰かに会うかなと考えると、なかなか気軽に部屋のドアを開けることができなかった。

合宿を終えると日本代表はアメリカ遠征に飛び立った。この頃になると僕の身体には自分で受け止めきれないほどストレスが蓄積《ちくせき》され、ついに胃薬を呑《の》まないと我慢できないほどの痛みになってしまった。

さらに2、3日後には40度近い熱が出た。もうこうなると胃薬だけじゃ歯が立たず、痛み止めの注射を打って練習に出ていた。対アメリカ戦の後半10分から、日本代表の国際試合にデビューすることはできたけれど、気持ち的にも体力的にもギリギリのところでプレーしていた。

この他にもストレスが原因で、高熱が出てしまったことがある。日を重ねるごとにだんだん胃が重くなっていくのが自分でもわかり、やばいぞ、やばいぞと思っていると突然ガツーンと高熱が出る。ヴォルフスブルクに移籍した3ヵ月目にも、試合前日に高熱が出てメンバーから外れたことがあった。このことを当時のマガト監督が心配してくれて、僕はハンブルクのメンタルトレーナーのところに90分かけて通ったこともあった。

ところがドイツでプレーし始めて1年が経ち、2年が経つと、なぜか僕は胃の痛みを感じることがなくなった。気がついたら僕は胃痛を完全に克服していた。

ブンデスリーガで優勝して自信がついたことも関係しているだろうし、日本代表に定期的に招集されるようになったことや、読書に力を入れるようになったことなど、いろいろな蓄積があって克服できたのだと思う。

また、大きかったのは「鈍感《どんかん》」になれたことだと自分では思っている。

ドイツに来てしばらくすると、周囲の人は自分が意識しているよりもはるかに、僕のことを見ていないことに気がついた。簡単に言えば他人に関心がないのだ。日本にいるとき、僕はまわりの目をすごく気にしていたところがあって、もしかしたらそれが小さなストレスとして、日々蓄積されていたのかもしれない。ドイツ人に倣《なら》ってまわりが見ていないと思うようにしたら、急に開き直れたのだ。

05

マイナス発言は自分を後退させる。

サッカーというのは、いろいろな要素や人間が複雑に絡《から》み合っているため、ミスを人のせいにしやすいスポーツなのだと思う。

チームメイトに走らなかったやつがいたから負けたとか、あいつがドリブルで抜かれたから失点したとか、いくらでも責任を押しつけることができてしまう。

特に監督のせいにするのは簡単だ。

「監督は自分のことを分かっていない」

などと言うのは、試合に出られない選手の定番の愚痴《ぐち》だ。僕は愚痴を言わないようにしている。愚痴というのは一時的な感情のはけ口になって、ストレス解消になるのかもしれないけれど、あまりにも安易な解決策だ。何も生み出さないし、まわりで聞いている人の気分もよくない。

愚痴で憂《う》さ晴らしをするのは自分の問題点と向き合うことから逃げるのと同じ。ゆえに逆に愚痴を言わないように心がければ、自《おの》ずと問題点と向き合えるようにもなるのだ。

ヴォルフスブルクの3シーズン目、指揮官がマガト監督からアルミン・フェー監督に交代した。

当然ながら、僕は一からポジション争いをすることになる。ライバルとなるのは新加入のアルジェリア代表のジアニと、デンマーク代表のカーレンベリ。僕はケガで開幕から約1ヵ月間出場することができず、出遅れてしまう。

当時、ひとつ間違いなく言えたのはフェー監督は僕のプレーをあまり信用していなかった、ということだ。でなければ、僕と同じポジションに2人も選手を補強しなかったと思う。実際、ドイツの新聞や雑誌の予想スタメンでは、彼らの名前が書かれることが多かった。

けれど、それを誰に言ったとしても現状は改善されない。逆に自分に何か問題があるのかもしれないのに、そこから目を背《そむ》けることにつながる。だから僕は監督があまり僕を評価していないという現実を受け止め、まずそこを自分のスタートラインにした。では監督は何をMFに求めていて、どんなプレーをすれば信頼してもらえるようになるのか、試合を観ながら考え続けた。

新監督のもと、初めてチャンスが訪れたのは第5節のレバークーゼン戦。そこまでの戦績は2勝2敗と、チームの調子は一進一退だった。僕はそのテコ入れのために右MFで先発することになったのだ。

いよいよ、僕にとっての開幕だ。

と、意気込んでいたのもつかの間。想定外のことが起こる。前半34分、GKベナーリオが退場になってしまったのだ。当然代わりのGKを入れる。ハーフラインに目を向けると交代カードが掲げられていて、背番号「13」が光っていた。真っ先に僕が交代させられた。

やはり監督から信頼されていない……。

続く第6節のシャルケ戦はベンチスタートだった。

ところが不思議なもので、今度は僕が前半31分という早い時間帯に出場できることになった。先発した選手の調子が悪かったからだ。コーチから声をかけられた。

「ハセベ、入るぞ」

やる気に満ちあふれていた僕だったが、このときに実はすごく悔しいことがあった。

ユニフォームに着替えて、ライン際に立ったときのことだ。

コーチとフェー監督が何やら言い合っていた。

聞こえてきたのは、監督の「なぜ、あいつなんだ?」という不満そうな声だった。この交代の人選に関してはコーチの判断に任されていたようなのだが、フェー監督はコーチが僕を選んだことに納得しなかったのだ。

「ふざけんな!」

と怒りがこみ上げてきた。と同時に自分の現状を受け止めなければいけない、と気持ちを引き締《し》めた。

「今日結果を出さなかったら、もうチャンスはない」

僕が見たところ、チームの問題点は厳しいマガト監督が去ったことで、選手が随所《ずいしょ》で手を抜くようになった、ということだった。たとえば、ボールを奪われたときに自陣への戻りが一瞬遅くなったり、逆にボールを奪ったときに前へ行く人数が少なかったり。つまりは走力不足。現代サッカーにおいては致命的な欠陥《けっかん》だった。だから、僕はみんなが走らなくなった分を自分が走って補《おぎな》ってやろうと思った。

そして1対1の同点で迎えた81分。

右サイドに走り込んだ僕は、味方が落としたボールをワンタッチで大きく前に蹴《け》り出して、スペースに抜け出した。ボールに追いついた瞬間、右足でグラウンダーのクロスを入れた。中央に走り込んだジェコがノートラップで右足を振り抜き、強烈なゴールが決まった。

チームはこの1点を守りきり、ヴォルフスブルクは2対1で勝利した。自分にとっては監督からの評価を得た、大きな意味を持つ一戦になった。

試合後、フェー監督は「期待していたとおり、よくやってくれたな」と声をかけてくれた。「このオッサン、調子がいいなぁ」と思いつつも、悪い気はしなかった。

以後、僕には右MFの先発の座が与えられたのは言うまでもない。

愚痴だけでなく、負の言葉はすべて、現状をとらえる力を鈍らせてしまい、自分で自分の心を乱してしまう。心を正しく整えるためにも愚痴は必要ない。

06

恨み貯金はしない。

2002年春。浦和レッズに加入したばかりの僕に初めてのチャンスが訪れた。

サテライトチーム（2軍）の遠征メンバーに選ばれたのだ。

他のメンバーは浦和のユースに所属する選手がほとんどで、たとえ先発ではなかったとしても、絶対に自分に出番がまわってくると思った。2軍の試合とはいえ、初めてプロとしてピッチに立つ姿を家族にスタジアムで観てもらいたい。僕は母親にメールを送った。

「明日、サテライトの試合があるけど来る?」

試合に出られそうだとは一言も書かなかったけれど、きっと両親なら気がついてくれるだろう。案の定というか期待どおりというか、両親、姉、妹、一家総出で静岡県の藤枝市から試合会場となる茨城県ひたちなか市まで来てくれた。

僕のレッズの同期は全部で10人いる。

坪井慶介さん、平川忠亮さん、堀之内聖《ほりのうちさとし》さんら大卒ルーキーが5人。それに加えて、僕や徳重健《とくしげけん》太《た》ら高卒ルーキーが5人（そのうち1人はユースからの昇格）。このなかで僕は特に有名だったわけではなく、それほど有望視されていなかったと思う。けれど、加入してすぐにチャンスが来たことで自分も期待されているのだと思い、無性にテンションが上がった。

試合当日、レッズのクラブハウスに集合して、バスに乗りこんだ。対戦相手は鹿島アントラーズのサテライトチーム。自分の力が出せるのかという不安と、ついに試合に出られるという期待が入り混じって、高校時代とはまったく質が違う緊張を感じていた。

サテライトの試合は育成が目的なので、基本的にスタジアムに観に来てくれるのは相当に熱心なサポーターの方か、選手の家族だ。だからスタンドはガラガラ。スタジアムに着くとすぐに家族の姿が目に飛び込んできた。

みんなの前でいいプレーを見せるぞ。

残念ながら僕はベンチスタート。若手に経験を積ませるのが目的だから、必ず出番は来るだろう。いつでも出られるように前半は相手のプレーの特徴や戦術をチェックして、後半はじっくりウォーミングアップを行なった。

しかし、後半15分が過ぎても、30分が過ぎても僕に声がかかる様子がまったくない。

もしかしたら出られないかも……。

僕はピッチの外で呆然《ぼうぜん》と立ち尽くしながら、試合終了のホイッスルを聞いた。

情けなかった。せっかく家族がはるばる来てくれたのに本当に情けなかった。このカッコ悪い自分をすぐそばで家族が見ていると思うと、とてもスタンドの方を振り返ることはできなかった。

僕は人目を避けるようにして、すぐにバスに駆け込んだ。

バスで浦和に戻る途中、耐え難《がた》い屈辱《くつじょく》感が込み上げてきた。なぜ監督は自分を使わなかったのか。使わないのなら、なぜ帯同メンバーに選んだのか。いっそのこと浦和に残してくれた方が良かった。ひとりで浮かれていたことも悔しさを倍増させた。両親には気まずくて、メールすら打てなかった。

クラブハウスに着き、僕は無言でレッズの寮に帰った。けれど、こんな暗い気持ちのまま部屋にこもっていたら、発狂してしまいそうだった。僕は自転車に乗って寮を飛び出して、クラブハウスに戻った。

練習場に忍び込んで、倉庫からボールを出し、壁に向かって思いっきりボールを蹴った。跳ね返ってきたボールを止め、また蹴る。その単純作業の繰り返しだ。

悔しさと自分への怒りが入り混じって、般若《はんにゃ》のような顔つきになっていたと思う。心配したスタッフの方が遠くから見ているのが分かった。

それでもボールを蹴り続けた。2時間が過ぎ、体力も気力もなくなったころ、もやもやとした気持ちも吹き飛んでいた。

「監督が悪いんじゃない。自分の力が足りないから試合に出られないんだ」

当たり前のことに気がついた。

それ以来、僕は悔しいことがあったときは、なるべく早く消化するように心がけるようになった。

レッズ時代、僕は試合に負けたり、何か悩みごとがあるときは、ひとりで温泉に行くようにしていた（P40参照）。ひとりで行くなんて暗いと思われるかもしれないけれど、その孤独な時間に意味がある。

ドイツに移籍してからは、1泊2日のひとり旅に出るようになった。ドイツのハンブルクに始まり、ベルリン、デュッセルドルフ、スコットランドのグラスゴー、フランスのパリ……。いろいろなところで、気持ちをリフレッシュした。

恨みを貯金しても仕方がない。ボールを蹴って身体を動かしてもいいし、何かリフレッシュして、次に向かってリスタートした方がはるかに建設的だ。

07

お酒のチカラを利用しない。

ビジネスマンの方には甘いと言われそうだけれど、お酒の席では仕事のことを完全に忘れたいというのが僕の考え方だ。お酒は楽しむもので仕事の愚痴を言うためのガソリンじゃない。心のスイッチをオフにして、リラックスしたいのだ。

サッカー選手にとってアルコールは体力の回復を遅らせるし、ケガの原因にもなりうるので、飲みに行くのは休みのときだけだ。月に一度か二度くらいに抑えておいた方がいいと思う。深酒も厳禁。節度《せつど》を保たなきゃいけない。

僕はお酒の席では完全なオフモードになるので、基本的にメディアの人とは、お酒を飲まないことにしている。もし一緒に食事に行くことになっても、そのときは絶対にアルコールを口にしない。メディアの方と飲むと、もしかしたら情がわいてしまうかもしれないからだ。選手とメディアは互いにプロフェッショナルな関係でいるべきだと思うので、もし情がわいたら、それはメディアを通してニュースを知るサポーターへの裏切りになってしまう（でも、引退したらメディアの方たちとサッカーの話をしながら浴びるまで酒を飲んでみたいとも思っていて、それはそれで楽しみではある）。

ちなみに岡田《おかだ》武史《たけし》監督も選手の冠婚葬祭《かんこんそうさい》などには出ないという。出席してしまったら、情がわいてきてしまうからだそうだ。

器用な選手なら、メディアの人と飲んでも自分の中でうまく線引きができるだろう。しかし、僕にはそれができそうにない。それに何らかのトラブルが起きることもある。こちらが「暗黙の了解」で書かないだろうと思っていたことを書かれてしまって、もめるということも少なからずある。だから僕はメディアの方がひとりでもいたら、スイッチをオフにしない。相手を信用する、しないではなく、それが自分に課したルールなのだ。

よくお酒が入ると相手の本音が引き出せるとも言うけれど、そういう考え方も好きじゃない。お酒の力を借りないと本音を言い合えないという関係がそもそも嫌だし、そんな状態で出てきた本音に価値を見出せない。

現役を引退したら、お酒に対する考え方が変わるかもしれないけれど、今はお酒は100%楽しむものとして、仕事とは完全に切り離しておきたい。こういう細かな線引きが心を整えるためにも必要だと思う。

08

子どもの無垢《むく》さに触れる。

僕の姉には、3歳になる娘と0歳の息子がいる。僕にとっては姪《めい》っ子と甥《おい》っ子だ。

「帰国したとき何が一番楽しみか?」と聞かれたら、僕はそのひとつに2人に会うことをあげる。姪っ子とはドイツにいるときにはスカイプをつないでビデオ通話をするし、僕が帰るとダッシュして抱きついてくれる。ドイツは子ども向けの服やおもちゃが充実しているので、帰国が近づくと「何を買って帰ろうかなぁ」と、お土産探しに熱中してしまう。

僕は子どもが大好きだ。

一緒に走りまわったり、床を転がったり、僕の方が遊んでもらっている感じで、正直このときの僕はあまり人に見せられない。

ヨシトさん(大久保嘉人)がヴォルフスブルクでプレーしていたとき、僕は毎日のようにヨシトさんの家で、息子さんと遊んでいた。ハマっていたのは仮面ライダーごっこ。レストランで仮面ライダーになりきって、まわりのドイツ人たちに冷たい視線を浴びせられたこともあった。

1年くらい前には元チームメイトの達也（田中）の娘さんを、幼稚園に迎えに行ったこともあった。達也に用事があったからピンチヒッターを買って出たのだ。

それにしても、なんでこんなに子ども好きなのか？　自分でもよくわからない。ひとつ間違いなく言えるのは、子どもと一緒にいると僕自身がすごく癒《いや》されるということだ。

プロの世界で競争するのは嫌じゃないけれど、重圧は大きい。すべてのプレーがうまくいくわけではなく、試合に負けることだってある。知らず知らずのうちにストレスが溜《た》まる。けれど、子どもに遊んでもらうと、自分の悩みがすごくちっぽけなことに思えて晴れやかな気分になる。子どもとじゃれあうのは体力が必要で、あとでぐったりすることもあるけれど、すごくポジティブな疲れだ。

きっと、子どもの純粋さが僕の心の重圧という澱《おり》を洗い流してくれるのだろう。

09

好きなものに心を委《ゆだ》ねる。

サッカー選手はチームとして行動するときにはジャージ、もしくは公式のスーツを着る。

ワールドカップでは、試合に行くときも練習に行くときも、おそろいのジャージを着ていた。大会中はオフの時間もジャージ着用が義務づけられていて、みんなで買い物に行ったときは地元の子どもたちにクスクスと笑われてしまった。

移動のときはダンヒルのスーツを着用する。僕はぴしっとネクタイをしめる。スーツはきちんと着た方がラインもきれいに出るし、スタイルもよく見える。

このように代表選手は服装の自由が利かないが、唯一、自由が利くアイテムがある。それが腕時計だ。サッカー選手で腕時計にこだわる人はとても多い。

元イングランド代表のデビッド・ベッカムはフランク・ミュラーを愛用していることが話題になった。日本の選手では楢﨑《ならざき》（正剛《せいごう》）さんや長友《ながとも》（佑都《ゆうと》）がウブロ、本田（圭佑）が両腕にしているのはガガ・ミラノというブランドらしい。ワールドカップ前にはエイジ（川島永嗣《かわしまえいじ》）がパテック・フィリップをジュネーブで買っていた。また、ヴォルフスブルクのチームメイトはオーデマ・ピゲやウブロが多いようだ。

僕自身は4年くらい前までは、時計にまったく興味がなかった。重いし、時間は携帯電話で確認すればいいかなぁと思っていたくらい。でも、Jリーグで優勝したときに、「プロサッカー選手なら、一本くらい持っておいた方がいいぞ」と先輩に言われて、買ったのがロレックスのサブマリーナだった。

なぜロレックスだったかというと、知り合いのファッション関係の方がしていて、それがとてもカッコよく見えたのだ。主張しすぎず、ゴテゴテしすぎず、自分なりの表現をすると「理にかなっている」時計のように思えた。価格はもちろんそれなりにするけれど、手が届かないほどの超高額なわけでもないところも、当時の僕にはしっくりきた。

ただ、サブマリーナはみんなが持っている人気モデルだから、ちょっとアレンジを加えた。バンドを革のクロコダイルに替えたのだ。これは「ネイバーフッド」という東京のブランドが提案していたオーダーメイドスタイルで、ベルトを替えただけでオリジナル感が出た。

その後も、いくつか時計を買ったけれど、僕のところに残っているのはロレックスのみ。他には２００７年にレッズがＡＣＬで優勝したとき、ロレックスとティファニーがコラボレーションで作ったＧＭＴマスターを、知人から僕の当時の「年齢×１万円」で譲ってもらった。23歳だったから23万円。これは聞いたところによると、値が高騰《こうとう》している商品でこの価格では普通手に入らないそうだ。

'09年にブンデスリーガで優勝したときには、チームが記念としてロレックスを買ってくれた。サブマリーナかディープシーの2つの選択肢があったのだけれど、サブマリーナは持っていたので、僕はディープシーを選んだ。ただ、ディープシーの方がプラス20万円くらいするから、その分は負担してほしいとチームに言われて、20万円ほど支払った。

今はまだロレックス以外は興味がない。ロレックスをつけていると、しっくりくる。でも、年齢を重ねたら、また違う時計に興味がわくかもしれないから、それはそれで楽しみにしたい。

僕は時計に限らず、好きになるとそれしか見えなくなってしまうことが多い。

レストランで一度気に入ったメニューができたら、もう他のものは頼まず、いつも同じものをオーダーする。家で焚《た》くお香も、いつも同じだし、趣向に関しては冒険しない性格なのだ。

流行を追ったり、いろいろ試してみるのも刺激的だけれど、僕の場合、一番いいと思ったものを一途《いちず》に使い続ける。そうすると心が本来いるべき場所にスッと戻って、落ち着くのだ。

10

レストランで裏メニューを頼む。

浦和レッズ時代、僕はほとんど自炊をしたことがなかった。ひとり暮らしを始めてからも、寮の食堂に食べに行っていた。だから、ドイツに移籍した当初は食事で苦労した。

料理本を送ってもらって、見様見真似《みようみまね》で野菜炒《いた》めを作ったり、カレーを作ったり。最初はキッチン用品がそろっていなくて、フライパンに水を張ってお湯を沸かしていた。今じゃ笑い話だけれど、電気ケトルを買ったときは、「こんな便利なものがあるのか！」と心底感動した。

ただ、あまりにマガト監督の練習がハードすぎて、家に帰ったら身体がまったくいうことを聞かず、とても自炊する余力が残っていないことが多かった。

そこで僕は練習帰りにひとりでレストランに通うことになる。

「寂しいなあ」と思うときもあったけれど、意外にこれはこれで楽しい。見知らぬ街でレストランを探し、辞書を引きながら注文していることが、自分を逞《たくま》しくしてくれるような気がしたからだ。

僕が住んでいるヴォルフスブルクは自動車メーカー、フォルクスワーゲンの工場がある、いわゆる「企業城下町」。人口約12万人のとても小さな街だ。僕の感覚では街で走っている車の9割はフォルクスワーゲン。僕もずっとフォルクスワーゲンの四輪駆動《くどう》SUV、「トゥアレグ」に乗っている。これはチームが無料で提供してくれるのだ。それに選手には常に最新モデルに乗ってもらおうという配慮から、半年に1回の割合で新車に交換してくれる。サンルーフをつけたり、ホイールを替えたり、オプションをつけることができるので、「次はどんな仕様にしようかな」とカタログとにらめっこして、トゥアレグに関してはかなり詳しくなった。

車を走らせて、おいしそうな店はないかなぁとレストランを探す。

ドイツ料理はもちろん、ベトナム料理、ギリシア料理、ボスニア料理。日本食レストランも1軒だけある。今ではたくさんの行きつけの店ができた。なかでもイタリアンはおいしいお店が多い。

かつてフォルクスワーゲンの工場では、イタリアからの出稼ぎ労働者がたくさん働いていた。今でもイタリア系の人たちがヴォルフスブルクに住んでおり、だからイタリアンが多いようなのだ。

一番良く行くのが『La Grotta』（ラ・グロッタ）という店だ。

ヴォルフスブルク市内では高級なイタリアンの部類に入り（と言ってもパスタは千円くらい）、食べに行くとたいていチームメイトの誰かに会う。お店の人ともすぐに顔見知りになって、「ボンジョルノ～、マコォト！」とイタリア語で迎えてくれる。僕が必ずサラダを頼むことも、ガスなしの水を頼むことも、コーヒーを飲まないことも覚えていてくれる。他にも行きつけのイタリアンが、2、3軒あって、その日の気分によってローテーションしている。

僕にはドイツでレストランに行ったときに、ひとつこだわっていることがある。それは裏メニューを作れないか聞いてみる、ということだ。

ある日、行きつけのイタリアンで食事をしているとき、猛烈にエビが食べたくなった。そこで「このクリームパスタにエビを加えることはできますか？」と聞いてみた。店員の女性は、「ちょっとシェフに確かめるわね」と言って厨房《ちゅうぼう》に行くと……。見事にOK。頼んでみたら何とかなるもんだなあと妙に嬉しかった。

それ以来、この店では僕は必ず、メニューにない「エビのクリームパスタ」を注文する。店の人も心得たもので、僕が顔を出すと「いつものやつでしょ？」と言ってくれる。ちなみに『La Grotta』では、若鶏のグリルにサイドメニューとしてペペロンチーノを盛り合わせてもらったものが定番だ。

未知なる街で楽しく、少しでも居心地よく生活できるようにアレンジする。これも僕の日常のなかの、ちょっとした工夫であり、心を整える方法のひとつなのかもしれない。

11 孤独に浸《つ》かる――ひとり温泉のススメ――

試合に負けて落ち込んでいるとき。プレーが行き詰まっているとき。将来のことや恋愛のことで悩んでいるとき。そんなときにどう心をメンテナンスするか。

みんなで飲みに行ったり、映画を観に行ったり、いろいろな方法があると思うけれど、僕が浦和レッズ時代によくやっていたのが、ひとりで温泉に行くことだった。

「ひとり温泉」というと、話し相手もいないし、何をするのもひとりだし、何だか暗いイメージを持たれるかもしれない。恋人がいれば怪しいと勘ぐられるのは確実だ。確かに露天風呂に行く途中に仲が良さそうなカップルとすれ違うと、僕だって寂しいと感じることはある。

けれど、孤独な時間だからこそ、できることがある。

自分にとって本当に大切なものは何なのか。そういう自分と向き合う時間を作るのに、「ひとり温泉」はうってつけなのだ。

イギリスの文豪トーマス・カーライルは、こんな言葉を残している。

「ハチは暗闇《くらやみ》でなければ蜜《みつ》をつくらぬ。脳は沈黙でなければ、思想を生ぜぬ」

まあ、僕の考えはこんなに哲学的ではないけれど、沈黙、すなわちひとりでいる時間はとても大切な時間だ。

ただし、「ひとり温泉」を実際にやろうと思うと、これがなかなか難しい。

ガイドブックで良さそうな温泉宿を見つけて、予約のために電話をかける。「人数はひとりです」と伝えた途端《とたん》に相手の反応が悪くなって、予約を断られてしまうのだ。きっと世の中には温泉にひとりで来る人なんてほとんどおらず、宿からしたら不気味なんだと思う。

ようやく「ひとりでもOKなところを見つけた！」と思って宿に行ったら、ドンデン返しが待っていたことがあった。フロントに浦和レッズのユニフォームが置かれていて、サインを求められたのである。どうやら受付の方がレッズを応援してくれていて、予約時の名前と僕の声で分かったらしい。さすがにあちらもプロなので、それ以上何かを求められることはなかったけれど。

とはいえ、断られ続けて失敗を繰り返すと、だんだんどんな宿なら泊まれるかが分かってくる。高級老舗《しにせ》旅館と言われるところは、ひとりでもOKのところが多い。相場は一泊数万円。値が張ってしまうけれど、こちらがわがままを言っているのだから仕方がない。

当時、レッズでは土曜日に試合があると日曜の午前中にクールダウンを行ない、月曜が休みになることが多かった。つまり、日曜の午後から約1日半オフになるということだ。その時間を利用して、僕はよく「ひとり温泉」を決行した。

旅はドライブから始まる。大好きなミスターチルドレンのCDを流して車を走らせていく。宿に着き、部屋に案内してもらったら、女将《おかみ》さんとの会話を楽しむ。

「この近くで観光するなら、どこがいいですか？」「明日ランチに行けるようなオススメのレストランはありますか？」など、現地情報を仕入れるのだ。旅は計画せずに行くのが僕のスタイル。旅先で仕入れた情報で何をするかを決める。ちなみに女将さんはある程度年配の方が知識もあり、話しやすい。

会話を楽しんだら、いよいよ温泉だ。

露天風呂に浸かり、身体の疲れを癒し、風景を楽しむ。

僕が特に好きなのは海が見える露天風呂だ。

水平線を見ながら湯船に浸かっていると、自分の悩んでいることがすごくちっぽけに感じられてきて、また一から頑張ろうと思える。そのあとは宿のまわりをぶらぶらと散歩したり、部屋でゆっくり読書したり。日常から離れた世界で贅沢《ぜいたく》に時間を使っていく。

これまで僕は、伊豆、熱海《あたみ》、箱根、軽井沢、群馬、栃木、福島などの温泉にひとりで行ってきた。基本的には常に新しい温泉を探すようにしているが、本当に気に入った温泉はリピートする。

たとえば、静岡県伊豆の修善寺《しゅぜんじ》温泉『あさば』。

1675年創業の老舗旅館で、寺のような重厚な門をくぐると池の対岸にある能舞台が目に飛び込んでくる。露天風呂は竹林や山の緑に囲まれていて、まるで江戸時代にタイムスリップしたかのような気分になる。再び門をくぐったときには、すっかり気分がリフレッシュされている。

静岡県熱海の『蓬莱《ほうらい》』も思い出の宿のひとつだ。

僕が行くとサッカー選手だということに気がついてくれて、ゴンさん（中山雅史《まさし》）やカズさん（三浦知良）も来たことがあると教えてくれた。そして、2人が使った部屋を用意してくれた。日本サッカーの歴史を切り開いた大先輩が泊まったと想像すると、自分も頑張らなきゃと勇気がわいてくる。

箱根も外せない。2007年春、僕は温泉帰りに箱根神社に寄り、「ACL優勝」と絵馬に書いた。そうすると半年後、見事にそれが現実になった。僕は再び箱根神社に訪れ、「ありがとうございました」と優勝を報告した。

「ひとり温泉」は一生続けたい趣味のひとつなので、たとえ結婚したとしても、定期的に行くつもりだ。もちろん家族で行くときもあるだろうけど、「ひとり温泉」を許してくれる女性じゃないと僕は結婚したくない。「本当にひとりなの？」と問いただすような奥さんでは厳しいかも……。

孤独な時間は僕の人生にとってもはや欠かせないもの。ドイツでプレーしていると帰国する日数が限られていて「ひとり温泉」にはなかなか行けないけれど、時間がとれれば、また行こうと思う。

温泉で僕を見かけても、「寂しい人だなぁ」と思わないでほしい。身体と心をメンテナンス中なのだから。

第2章

吸収する。

12→17

浦和レッズ時代、田中達也選手（左）と。

12

先輩に学ぶ。

浦和レッズに加入して良かったと思うことはいくつもあるけれど、そのひとつが最高のお手本が身近にいた、ということだ。

まずひとり目は、1歳年上の田中達也選手だ。

本来なら学年がひとつ上なので、先輩として接するべきかもしれないけれど、僕は「達也」と呼んで、まるで同級生のような付き合いをさせてもらっている。

達也は東京都の名門・帝京高校出身で、高校時代にプレーを見たことはあったが、レッズに入るまで面識はなかった。ドリブルの切れ味が鋭くて、スピードがある選手という以外のことは知らなかった。

レッズに加入すると、いかに達也がプロフェッショナルであるかを間近で見せつけられた。練習前に入念にストレッチをして、練習後も身体の手入れを怠《おこた》らない。みんなで飲みに行っても達也が来ることは絶対にない。僕が夜に頻繁に飲んでいた頃には、「オマエそんなんじゃダメだぞ」と注意してくれた。僕が試合までの準備にこだわるようになったのも達也の影響だ。決して弱音を吐かず、常に前向きな言葉を口にするので、一緒にいるこちらまでポジティブな気持ちにさせてくれる。

2005年10月15日。この日起きてしまったことは自分にとっても忘れることはできない。試合中に受けたタックルで、達也は「右足関節脱臼《だっきゅう》骨折」という大ケガを負ってしまった。僕はピッチにいながら、苦痛に顔をゆがめる達也をただ呆然《ぼうぜん》と見守ることしかできなかった。全治6ヵ月（結局、復帰までは9ヵ月かかった）。当時22歳の有望な若手にとって、あまりにも痛い負傷だった。

1日でも早く達也に帰ってきてほしい。僕はプーマの方にお願いして、「11 達也」という刺繍《ししゅう》を自分の赤いスパイクに金色の糸で入れてもらった。11は達也の背番号。ピッチで待っているぞという思いを、リハビリを続けていた達也に伝えたかった。

翌年7月、達也はピッチに帰ってきた。順風満帆《じゅんぷうまんぱん》な道のりを歩む選手もいるけれど、僕は困難を乗り越えた選手に魅力を感じる。達也はまさにそういう選手のひとりだ。

後日、達也の奥さんから、「11 達也」と刺繍を入れたスパイクをぜひ譲《ゆず》ってもらえないかと言われたので、快《こころよ》くプレゼントした。達也の家に遊びに行くと、そのスパイクがリビングに飾られていて嬉しかったのを覚えている。

今ではドイツと日本で離れてしまったけれど、しょっちゅう連絡を取り合っている。まあ、達也は携帯電話を放ったらかしにしていることが多くて、出てくれるのはたいてい奥さん。だから、まずは奥さんと話して、次に達也の子どもと話して、やっと本人と話す。冗談で「それじゃあ不携帯電話だよ」と言っているんだけど、一向に改めてくれない（笑）。

2人目は、2歳年上の鈴木啓太選手だ。

啓太くんは人付き合いがとてもスマートで、オンとオフの切り替えがとてもうまい。僕はプロ入り当初、人見知りが激しく初めて会った人とうまく話せないことが多かった。一方、啓太くんは初対面の人とも実にうまく会話を弾《はず》ませることができる。僕はいまだに啓太くんのようにはスマートには振舞《ふるま》えないけれど、人付き合いにおける距離感は随分と参考にさせてもらった。

レッズに加入したとき、スカウトの宮崎義正《みやざきよしまさ》さんから、こう言われたのを覚えている。

「啓太についていけば、大丈夫だから」

まさにそのとおりだった。

啓太くんから学んだのはピッチ外のことだけではない。ヴォルフスブルクに移籍した当初、突然1ボランチとして出場することになったときは、啓太くんのレッズでのプレーを思い出しながら適応しようとした。

レッズには他にも素晴らしい選手たちがいたけれど、特に達也と啓太くんの存在は僕にとってとても大きかった。また、レッズからは離れるけれど、僕に常に高い目標を示してくれたのが中村俊《しゅん》輔《すけ》さんだ。クラブで俊さんとチームメイトになったことはないけれど、所属事務所が同じ関係で、時折話をする機会を作ってもらえた。僕がレッズに加入した半年後、俊さんはイタリアのレッジーナに移籍し、さらに2005年にスコットランドのセルティックに活躍の場を移した。ヨーロッパで戦う俊さんの姿をテレビで観て、いつか自分も同じ舞台に立ちたいと思うようになった。実際にお会いさせていただいたときには、目標を実現するために何が必要かというヒントをいくつももらった。

他にも小野伸二《おのしんじ》さんからはサッカーを愉《たの》しむということを気づかせてもらい、中澤佑二さんからは代表選手としての誇りを教えてもらった。

僕はこの本で、ひとりでいることの大切さ、中立な立場であることの重要さを書いていくけれど、それはひとりよがりになるということではなく、身近な仲間や先輩から、それぞれの良さを積極的に吸収することも忘れないようにしている。

僕のキャリアのなかで、指針となる選手に出会えたことは本当に大きかった。

13

若手と積極的に交流する。

2010年11月中旬のことだ。

僕はベルギーのリールセでプレーするエイジ（川島永嗣）と連絡を取り合い、食事でもしようということになった。学年こそエイジの方がひとつ上だけれども、ユース年代の日本代表からずっと一緒で、同級生のように付き合ってきた仲だ。

ただ、電話で話しているうちに「せっかくだから、みんなも呼ばない？」ということになった。みんなとは、ドイツ、オランダ、ベルギーといった近隣の国でプレーする前Jリーガーのことである。

言い出しっぺとして、僕がみんなに電話をすることになった。

デュッセルドルフに練習参加していた馬場憂太《ばばゆうた》、フライブルクの矢野貴章《やのきしょう》、シャルケのウッチー（内田篤人《うちだあつと》）、ドルトムントの真司《しんじ》（香川《かがわ》）に電話をすると、みんな二つ返事でOKしてくれた。ボーフムのチョン・テセと、フェンロ（オランダ）の吉田麻也《よしだまや》とは面識がなかったので、この2人についてはウッチーと真司に電話してもらった。ということで、計8人がデュッセルドルフの日本食レストランに集まることになった。残念ながらコットブスの相馬崇人《そうまたかひと》さんは翌日に練習があったので今回は来られなかった。コットブスは旧東ドイツ地区に位置しており、デュッセルドルフまで来てしまうと、翌日の練習までに戻れないのだ。

僕はホテルを予約して、約3時間半電車に乗って向かった。

お店では個室を用意してもらって、8人がぐるりとテーブルを囲んで座った。これだけ男が集まると、さすがにちょっとむさくるしかった（笑）。

最初のオーダーのときから嬉しくなることがあった。ほとんどの選手が翌日はオフだったのでひとりくらいビールを頼むかと思ったら、「オレ、ウーロン茶」「オレは水」といった感じで、誰もアルコールを頼まなかったのである。もしかしたら、互いに牽制《けんせい》したところもあったのかもしれないけれど、結果的にこの日はひとりもアルコールを口にしなかった。これこそプロの集まりだなと、僕は密《ひそ》かにほくそ笑んだ。

話題の中心は、やはりサッカーの話。

「そっちのチームでは、どんな練習してるの？」

「2部練は週何回？」

「監督はどんな人？」

「将来、どこのクラブでプレーしたい？」

このとき、8人のなかで一番メディアの注目を集めていたのが真司だ。真司はドルトムントのトップ下として得点を量産し、チームが首位を独走する原動力になっていたし、ドイツの専門誌の採点でも全選手中トップを走っていた。ただ、僕たちまで手放しで褒《ほ》めたら気持ち悪いので、ふざけて「あまり調子に乗るなよ」という感じで突っ込んでおいた。

日本食レストランを出ると2次会はみんなでカラオケに行った。デュッセルドルフは多くの日本企業が拠点にしており、そのためカラオケもある。アルコールは入っていないのにみんなテンションが高く、僕はいつもながらミスチルを熱唱した。

カラオケを出て解散するときに、ウッチーが「じゃあ、また来週ここで」とふざけて言った。テセ、ウッチー、真司らはデュッセルドルフまで1時間で来られるからいいかもしれないけれど、僕やエイジは距離があるから絶対に無理だ。ウッチーはそれを分かっていて、言ったのである。すぐに「来られるわけないだろ！」というツッコミが遠くに住む選手たちから飛んだ。

僕はそれにかぶせるように言った。

「じゃあ、次はヴォルフスブルクにしよう」

みんな苦笑いだった。どうせ遠い田舎だよ……。

翌日、僕は帰る電車のなかで、みんなと話した内容を頭の中で反芻《はんすう》した。若い選手たちは僕が驚くようなビッグクラブの名前を出して、将来プレーしたいと躊躇《ちゅうちょ》なく言っていた。そういう強いエネルギーに触れると、自分も負けられないという気持ちがわきあがってくる。

僕は欧州でプレーしている日本人選手と会って話をするのが好きだ。

過去には稲本潤一《いなもとじゅんいち》さん、小野伸二さん、ヨシトさん（大久保嘉人）と4人でフランクフルトに集まったこともあったし、本田（圭佑）と連絡を取り合ってデュッセルドルフで食事をしたこともある。そのたびに新たな刺激を得て、ヴォルフスブルクに戻ることができた。

自分と向き合う方法は、主に2つある。

ひとつは孤独な時間を作り、ひとりでじっくりと考えを深めていくこと。僕にとっては読書も、ひとり温泉も、ここに含まれる。そしてもうひとつは、尊敬できる人や仲間に会い、話をすることで自分の立ち位置を客観的に見ることだ。僕はヨーロッパでプレーする日本人選手たちに会うたびに、自分がこれからどんな道を進むべきかのヒントをもらっている。

さて、次はどこで集まろうか。これ以上人数が増えるとカラオケの順番が回ってこないから嫌だなぁと思いつつ、いつかお店自体を貸し切りにして、大人数で集まってみたい。欧州連絡網でも作ろうかな。

14

苦しいことには真っ向から立ち向かう。

ヴォルフスブルクに移籍したばかりのとき、僕はあまりにハードな練習で毎日くたくたになって帰宅した。当時チームを率いていたのは、フェリックス・マガト監督。

ドイツでは「苦しめる人」というあだ名がつけられるくらい、練習が厳しいことで知られる鬼軍《おにぐん》曹《そう》タイプの指揮官だ。

かつてこんなジョークを言った選手がいるそうだ。

「マガトに鍛えられたら、たとえタイタニックが沈んでも生き残ることができる」

実際、マガト監督の練習は僕がかつて経験したことがないくらいハードだった。

4kgのメディシンボールを2つ持って（つまり計8kg！）、斜度《しゃど》24度の坂を18mダッシュする。スキー場の上級者コースの斜度が20度後半といえば、この傾斜のきつさを分かってもらえるだろうか。もうひとつ斜度10度の坂もあって、こちらは65mダッシュ。吐きそうになるほどつらく、実際に吐いてしまう選手もいたくらいだ。

階段トレも壮絶《そうぜつ》だった。段差が20cm、30cm、50cmと3種類用意されていて、ひたすら上がっては下がり、上がっては下がりを繰り返す。一番きついのは50cmの段差。30分も続けるとモモの筋肉がピクピクと震えだす。

実はこの坂と階段はマガト監督がクラブに命じて作らせたもので、150万ユーロ（約1億7000万円）もかかったと聞いている。選手を苦しめるために、こんな大金を使うとは……。

このような肉体的な厳しさにくわえて、メンタル面も相当追い込まれる。

通常、ランニングをするときは、「池のまわりを10周」という感じで、どれだけ走るかをあらかじめ知らされる。しかし、マガト監督は何も言わないのだ。

あらかじめ何周走るか分かっていれば、自分なりのペース配分をできるが、いつまで走るか分からないとそうはいかない。終わりが見えないというのはとても苦しい。

ダッシュも同様。50mダッシュを10本やったら、誰だってそろそろ終わりだと思うだろう。だが、また笛がピッと鳴って「もう1本！」と声がかかる。20本やったら、そろそろ終わりかなぁと予測しながらも、また笛が鳴る。その繰り返し。

さすがに文句を言いたそうな選手もいたけれど、絶対に文句を言えない。当時の監督はスポーツディレクターも兼任していて、選手の人事権も握っていたからだ。実際、監督批判をした選手がアマチュアチームに落とされたこともあった。

そして、とても分かりやすいのだが試合に負けるとさらに練習量が増える。グラウンドをぐるぐるとひたすら鼠《ねずみ》のように走りまわり、激しい紅白戦のあとに筋肉に負荷をかけるフィジカルメニューを課す。試合前日に2部練をやったこともあった。これは現代サッカー界ではありえない。

マガト監督の練習の厳しさを伝え聞いたであろう僕の家族や親しい人たちには結構心配された。僕は「大丈夫、大丈夫」と強がっていたけれど、正直、最初の半年間は精神的にも肉体的にも、ギリギリのところで踏みとどまっているような毎日だった。

ただし、この苦しいときこそ、明るさを失ったらダメだとも思った。

『これだけ苦しい練習を乗り越えることができたら、自分には怖いものがなくなるはずだし、どのクラブの練習にもついていける。結果が出ると信じて、頑張り続けよう』

と、マガト監督の練習に必死にくらいついた。

その結果、僕の身体はひとまわり大きくなり、屈強なドイツ人とぶつかっても簡単には当たり負けしないようになった。何より、試合中に苦しいときがきても動じないタフさが身についた。

また、マガト監督は僕をＭＦだけでなく、右サイドバックとしても起用して、「自分は中盤の選手」という思い込みを取っ払ってくれた。ひとつポジションを下げてピッチを見渡したことで、ＭＦがどう動けば効果的か、より掘り下げて考えられるようになった。今ではもうサイドバックをやることはないけれど、流れの中で自信を持ってＤＦラインのカバーに入れるし、確実にプレーの幅が広がったと思う。

２００９年5月、ヴォルフスブルクはブンデスリーガで優勝し、翌年マガト監督は他のチームに移ることになった。最終節で優勝を決めたあと、ヴォルフスブルクの街中でパレードを行ない、最後はホテルで祝賀会が開かれた。

パーティルームに入ると、優勝チームに送られるマイスターシャーレ（優勝皿）が輝いていた。会場は選手、スタッフ、そしてそれぞれの家族でごった返し、この日ばかりは鬼軍曹の目の前で、みんな堂々とビールやシャンパンを飲んでいた。

僕は監督にお礼を言うチャンスをうかがっていたが、さすがにこの日は一番の人気者で、ヴォルフスブルクの市長やフォルクスワーゲンの幹部など、ひっきりなしにＶＩＰたちが挨拶《あいさつ》に行くのでなかなかひとりにならない。

パーティの終盤、ようやく監督の身体があいた。

僕は会場の片隅《かたすみ》でワインを飲んでいた監督のもとへ近づき、

「監督、お世話になりました。ありがとうございました」

と別れの挨拶をした。するとマガト監督はこう言ってくれた。

「こちらこそ、ありがとう。日本からドイツに来てくれて本当に嬉しかった」

監督と過ごした1年半ほど、辛く苦しい日々はなかった。でも、どこのチームに行っても、やれる自信がついたのは監督のおかげだ。ただ、もうマガトのいるチームには行きたくない、というのが正直なところではあるが……。

15

真のプロフェッショナルに触れる。

あれは確かプロ4年目のことだ。試合後、記者の方が教えてくれた。

「カズさん（三浦知良）が『長谷部はドリブルでボールを前に運ぶことができる。ゴールに向かって行く姿勢がすごい』って新聞の記事で褒めていたけど知ってる？」

浦和レッズのスタッフの方に新聞を取り寄せてもらうと、確かにカズさんがそういうコメントをしていた。子どものときから憧《あこが》れ続けている同郷の雲の上の先輩が、自分のことを知っていてくれて、プレーについてコメントしてくれている。そう考えるだけで身震いした。

偶然にも、僕の高校の同級生がカズさんのマネージャーをやっていた。すぐにその同級生に電話をかけ、「カズさんにありがとうございました、と伝えてほしい」と頼んだ。するとカズさんが

「1回食事でもしようよ」と言ってくださり、都内のレストランで初めて顔を合わすことになった。

カズさんはビシッとしたスーツ姿で現れた。あまりに緊張していたので、どんな店に行ったかまったく覚えていない。確か西麻布あたりのレストランだった。もちろん、すべてカズさんのセッティング。エネルギーに満ちあふれていて、17歳の年の差なんてまったく感じなかった。

カズさんがキングたる所以《ゆえん》は、メニュー選びのときに感じさせられた。野菜をたっぷり注文し、炭水化物はほとんど頼まない。試合の前はエネルギー源となる炭水化物を摂《と》った方がいいけれど、普段は余計な脂肪がついてしまうからだ。やっぱりキングは違うと驚かされた。当然、デザートも食べない。

僕はずっと聞きたいと思っていたことがいくつかあって、ここぞとばかりに矢継ぎ早に質問した。当時はまだ人見知りが激しかったけれど、さすがにカズさんの前ではモジモジしている時間がもったいなかった。

カズさんは高1のときに単身ブラジルに渡り、さらにイタリアやクロアチアでもプレーした海外移籍の大先輩だ。当時、僕はヨーロッパリーグでプレーしたいという思いが強まっている一方で、はたして自分が通用するのかという迷いもあった。だから、素直にその気持ちを話した。するとカズさんは「絶対に行った方がいい。それもなるべく若いうちに行くべきだ」と言って、背中を押してくれた。同時に、生活面の不自由さやサッカー文化の違いといった海外挑戦の難しさもきちんと教えてくれた。当時はイタリア移籍の可能性もあったから、とても心強かったのを覚えている。もし、カズさんの一言がなかったら、僕は移籍のタイミングを逃してしまったかもしれない。

それからもカズさんは定期的に声をかけてくれた。今までに計10回くらい、食事をさせていただいたと思う。ラモス瑠偉《ルイ》さん（現・解説者）が経営するブラジル料理店にも行ったりした。

カズさんはみんなでご飯を食べていても、自分が決めていた時刻になったら、「じゃあ、明日練習だから」と言って帰っていく。まわりに流されず、長居はしない。やはり長く現役を続けている選手には理由があると思った。

カズさんは今年44歳。まだまだ成長できる手ごたえがあり、そして、いまだ自分のプレーに納得していないのだと思う。僕もカズさんのようにサッカーを突きつめて、自分が納得するまで続けたい。そう思っている。

16

頑張っている人の姿を目に焼きつける。

祖国から遠く離れたヨーロッパのクラブでプレーすることには、様々な犠牲をともなう。家族にもすぐには会えないし、大好きなラーメンも食べられない。それに流行からも取り残される。たとえクラブチームでレギュラーになれて、日本代表にも呼ばれて、選手として充実した日々を送れていたとしても、塞《ふさ》ぎこんでしまうときがある。

答えがないようなことを延々と考えすぎて、迷いが生まれているときにどう切り替えるか。そういうときに僕は身近なところにいる「頑張っている人」を目にするようにしている。

日本にいた頃で言うと、真夏の炎天下《えんてんか》、工事現場で働くおじさん。

腕まくりをして、汗を流しているおじさんを見ると僕は何だかすごく熱くなる。きっと早朝から家族のためを思って頑張っているんだろうな。自分もああいうカッコ良さを身につけたいと思って、小さなことに悩んでいる場合じゃないとエネルギーがわいてくる。あとはお母さんが小さい子どもを自転車に乗せて、一生懸命こいでいる姿も好きだ。僕はこのシーンが女性の魅力的な瞬間のひとつだとも思うし、パワーをもらえるのだ。

僕が気がつかないだけで、日々の生活は頑張っている人々の姿であふれているのだと思う。自分のことでいっぱいいっぱいにならず、そういう姿に気がつける自分でありたい。

17

いつも、じいちゃんと一緒。

試合開始の直前、必ず心のなかでささやく特別な言葉がある。

ワールドカップの初戦、カメルーン戦のときもそうだった。

両チームの選手たちがロッカールームから出てきて、一列に並ぶ。そして、子どもと手をつないで入場の準備をする。やがて、FIFAのアンセムが流れ、まず子どもたちが両国の国旗を広げてピッチへと出て行く。それに続き、選手が歩を進める。

日本はゲームキャプテンの僕を先頭に、カメルーンはサミュエル・エトーを先頭に、白い布でできたゲートの下をくぐった。歓声のボリュームが一気に高まる瞬間だ。

サイドラインを越え、いよいよピッチに足を踏み入れようとするとき、僕はアフリカの広い空を見上げて心の中でこう言った。

「じいちゃん、今日もよろしく」


僕は静岡県藤枝《ふじえだ》市で長谷部家の長男として生まれた。姉と妹がいるので3人兄弟の真ん中である。長谷部家は藤枝で10代以上続いており、丸の中に三角が3つ並んだような家紋《かもん》がある。僕が生まれたときには曾《ひい》おじいさんも健在で、ひとつ屋根の下に4世代が暮らしていた。

父は厳格《げんかく》で僕にとってはとても怖い存在だった。小学校のときにはサッカー部の手伝いにも来ていて、ピッチでも厳しかった。母はせっかちなところもあるけれど、時間にきっちりしたタイプで、僕の性格はまさに母ゆずり。厳しい父に細やかな母というのが、僕の両親像だった。

そんななか、じいちゃんはやさしく、ときに甘い存在だった。小学校に入るまで、僕はいつも、じいちゃんと一緒に寝ていた。僕はじいちゃんから、戦争の話を聞くのが大好きだった。「あそこに爆弾が落ちた」とか、「食べ物がなくて苦しかったか」とか。決して楽しい思い出ではないはずなのに、孫のしつこい質問にも飽きずに答えてくれた。

サッカーを始めてから、じいちゃんはよくグラウンドに来てくれた。高校時代は、ほとんどの試合を観てくれたと思う。僕は高3になるまでレギュラーに定着できず、せっかく来てもらってもプレーする姿を見せられないことが多かったけれど、それでも足を運び続けてくれた。

僕が高3のとき、浦和レッズからオファーをもらった。このとき、プロに行こうと思ったのだけれど、両親の猛反対もあって、推薦で都内の大学に進むのか、プロになるのか、僕の決意は揺れた。当時、オファーをくれたのもレッズのみ（正確に言うと、最終的には名古屋グランパスからもオファーがあったが、それは高3終盤のことでプロ行きを悩んでいた頃はまだレッズからのオファーしかなかった）。自信がないわけではなかったが両親がもろ手を挙げて、賛成できなかったのは仕方なかった。

そんな僕に、じいちゃんが言った。

「マコト、人生は一度しかないんだよ。男なら思いきって挑戦するべきではないのか」

おじいちゃんは普段、寡黙《かもく》なだけにいざアドバイスしてくれたときには心に響くものがあった。

僕は結局、両親の反対を押し切って、レッズにお世話になることを決めた。両親は都心の華やかな大学のキャンパスを僕に見学させて、決心を覆《くつがえ》そうとしたけれど、僕の心は揺るがなかった。今考えると、じいちゃんの一言がなかったら、今の僕はなかったかもしれない。

僕がプロに入ったときにまず目標のひとつに設定したのが、一日でも早くじいちゃんをスタジア

AFCアジアカップ2011、
オーストラリアとの決勝戦にて。

ムに招待して、プレーしているところを見せることだった。

プロ1年目はなかなかベンチ入りできず、ナビスコカップで1試合、途中出場しただけだった。

プロ2年目がスタートする頃、じいちゃんは病室にいた。チームに戻る前にお見舞いに行くと、意識が朦朧《もうろう》としていて、もしかしたらという予感が頭をよぎった。

数日後、レッズの練習場で自主トレをしているとき、母親からの電話が鳴った。

「おじいちゃんが危ない」

僕は新幹線に飛び乗り、藤枝を目指した。

せめて最後にお別れを伝えたい。

ありがとう、と言いたい。

このときばかりは新幹線が遅く感じられてイライラした。

まだ車内にいるとき、再び母親から着信があった。

出なくても内容は分かった。

藤枝に着くと、すでにじいちゃんは病院から実家に移されていた。

「男は泣くもんじゃない」

じいちゃんの言葉がふっと頭に浮かんで、あふれ出しそうなものを必死で堪《こら》えた。

それから僕は、じいちゃんがいつ見ていても恥ずかしくないような人間になろうと思った。あるときから、プーマの方にお願いして、スパイクの内側の部分に、「松」という刺繍を入れてもらうことにしている。じいちゃんの名、松太郎《まつたろう》の頭文字だ。

そして、じいちゃんの死から約半年後、プロ初ゴールを決めたときに両手の人差し指を天に突き上げて、心の中で言った。

「やったよ、じいちゃん」

それから僕は、人生で迷うことがあるたびに、じいちゃんに問いかける。

「じいちゃん、どうしようか?」

じいちゃんなら何て言うだろう、と考えるのだ。

休暇で帰国すると、僕はじいちゃんのお墓に行く。母親の実家のお墓にも行く。お墓参りで僕は自分の現状報告をして、そして決意表明もする。じいちゃんにだけは、きちんと目標を伝える。そして、それを見守ってくださいとお願いする。

僕にとってじいちゃんは家族のシンボル的存在で、試合での感謝の気持ちは、祖母、父親、母親、姉、妹、すべての家族に向けられたものでもある。どんなときでも家族は僕に力を与えてくれる。

これからも心の中のじいちゃんと一緒に、サッカーの世界で勝負していきたい。

第3章

絆《きずな》を深める。

18→25

18

集団のバランスや空気を整える。

後の章で詳しく述べるのだが、変化を受け入れなければ進化することはできない。だから、岡田監督がワールドカップ直前に戦術を変更したことに対して、僕は心を整理するまでに時間はかかったものの、異論はなかった。

しかし、ゲームキャプテンを替えるという、あの変化だけは本当に実行すべきだったのかな……と思い返すことがある。

アジア地区予選でずっとキャプテンマークを巻いてきたのは、僕より6歳上の佑二さん（中澤）だ。ところが岡田監督は大会の約2週間前のイングランド戦で、僕をゲームキャプテンに指名した。事前の打診もなかったのでとても驚いた。

大会直前にゲームキャプテンを替えるのは異例のことで、チームにネガティブな影響がないわけがない。そして何より、本番直前にいきなり僕が〝いいとこ取り〟をしてキャプテンマークを巻くのは、あまりにもムシが良すぎると思った。

スイス合宿中、ホテルの部屋で僕はいろいろなことを考えた。

岡田監督だって考えぬいた末での変更で、気軽に決断したわけではないはず。その気持ちを裏切れないという思いもある。だが、僕は当時26歳でチーム内に年上の選手たちがたくさんいた。海外のチームなら年齢は関係ないのかもしれないが、日本の場合、サッカーにも年齢の影響が少なからずある。先輩たちは僕がゲームキャプテンに選ばれたことをどう感じているのか？　なぜ自分が指名されないんだと憤《いきどお》っている選手だっているかもしれない。

「ひょっとしたら自分がキャプテンマークを返せば、逆にチームはまとまるかもしれない……」

そう考えた僕は部屋の受話器を取った。

「監督、今から部屋にうかがってもいいですか？」

僕は息を整えて、自分の部屋を出た。

監督の部屋のドアをノックすると、「おう」と声がして、ドアを開けてくれた。部屋は選手の部屋よりも少し広かった。ソファがL字に置かれていて、応接のスペースがあった。監督はソファに腰を下ろし、話を切り出した。

「話って何だ。何かあったのか？」

僕は言った。

「今、僕がゲームキャプテンをやるのは、チームに与える影響が大きすぎると思います。キャプテンを辞退させてもらえないでしょうか」

岡田監督は一瞬驚いた顔をしたが、すぐにいつもの柔和な表情に戻った。

「何だ、オマエも意外にまわりに気を遣《つか》っているんだな。分かった。この件は一旦オレに預からせてくれ」

「ありがとうございます。ただ、どんな結論になろうと監督の決定に従います」

このあと岡田監督は佑二さんを部屋に呼び、話し合いの場を持った。詳しい話は分からない。僕は自分の部屋に戻り、電話が鳴るのをひたすら待った。

「ハセベ、今来られるか？」

2人の会談が終わると、岡田監督は再び僕を呼び出した。

じっと目を見つめ、真剣な表情で監督は言った。

「やはりゲームキャプテンはオマエにやってもらう。オマエは誰とでも分け隔《へだ》てなく話せるし、独特の明るさがある。何か特別なことをやろうとしなくていい。今までやっていたとおり、普通に振《ふる》舞《ま》ってくれ」

監督の決定に従うと言っていた以上、もう反論の余地はない。

「分かりました」

僕は覚悟を決め、自分にできることをやろうと思った。のちに監督からはこうも言われた。

「オマエは声を出すことでも、プレーでもチームを前に進めることができる。自分なりのリーダーシップでみんなを引っ張ってくれ」

とはいえ、監督が最初に言ったようにそれまでやっていなかったことを急にやっても、逆効果になってしまう。僕はずっと自分が取り組んできたスタイルを変えず、なるべく全体を客観的に見まわして、チームに足りないことを探し、チームを整える存在であろうと思った。

声を出す選手が少なかったら、どんどん自分が声を出す。

逆にみんなが熱くなっていると思ったら、自分は冷静になる。

何か思いを抱いていそうな選手がいたら、汲《く》みとる。

みんなを引っ張るリーダーというよりは、組織の乱れを正していくイメージだ。

カメルーン戦のキックオフ直前に、こんなことがあった。

入場のためにロッカールームから出て行こうとすると、ヨシトさん（大久保嘉人）が話しかけてきた。

「闘莉王が『国歌斉唱《せいしょう》のときに、みんなで肩を組みたい』と言っているぞ。みんなに伝えてもらえないか？」

詳しく聞くと、どうやら試合前日の夕食のときに闘莉王やヨシトさんがいたテーブルで「肩を組もう」という話で盛り上がったらしいのだ。ただ、それを聞いていたのはそのテーブルにいた数人の選手だけで全員が知っていたわけではない。実際、僕も聞いていなかった。ヨシトさんはみんなで肩を組んだ方が意味があると思い、ゲームキャプテンの僕に伝えたのだ。

僕は岡田監督のところに行き、

「選手たちで肩を組みたいという意見が出ています。ベンチでも組んでもらえますか？」と伝えた。入場直前、先発の11人が通路に並んだとき、僕は一人ひとりに「国歌斉唱のときに、肩を組もう」と話しかけていった。

ブルームフォンテーンのピッチに君が代が流れたとき、ピッチにいる11人とベンチにいる選手とスタッフ全員が、一斉に両手を互いの肩にまわした。全員の気持ちがひとつになったと感じる瞬間だった。

試合は本田（圭佑）のゴールが決まり、1対0の勝利。

後半43分にピッチを退いていた僕は試合終了のホイッスルの瞬間、ベンチからピッチに飛び出すようにして喜びを爆発させた。これまでのサッカー人生のなかで、これほど1勝によって劇的にチームの雰囲気が変わったことは経験したことがなかった。

試合後、ロッカールームも、バスも、飛行機も、お祭り騒ぎになった。笑顔が絶えず、大声で歌い続ける選手もいた。

もちろん僕も人目をはばからず、感情を爆発させたい気持ちもあった。だが、その一方で、あまり喜びすぎるべきではないと考える自分もいた。試合に出られなかった選手は、チームが勝ったことを喜びながらも悔しくないはずがない。少なくとも僕は試合に出られず、複雑な思いをしたことが何度もある。にもかかわらず、カメルーン戦の試合中、ベンチからはずっとピッチの選手を鼓舞《こぶ》する声が聞こえてきた。そういう気持ちを考えると、自分の感情を表に出しすぎるべきではない、と感じたのだ。全員がまわりに気を遣いはじめたら逆に気持ち悪いけれど、チームの中を見渡したときに、それが僕の役目だったように思った。

カメルーン戦の1勝により、日本はもはやゲームキャプテンなど必要のないチームになっていた。全員がキャプテンであるかのような自覚を持って、練習でも、ピッチ外でも、誰もが日本代表の勝利を最優先に考えて行動していたように思う。

紅白戦では控え組の選手たちは一切手を抜かずプレーしてくれた。さらに、もしゴールが決まったとしても彼らは喜んだりしなかった。控えの選手が不満を抱えている場合、ゴールが決まると、「それ見たことか！　俺たちのほうが上手《うま》いんだ」という態度を取ることがあるが、そういう憂《う》さを晴らすような感じが一切なかったのだ。

その気持ちに応《こた》えるために、先発した選手は必死でプレーした。ゴールが決まったあと、得点者が日本のベンチに走り寄っていくことがチームの約束事にもなった。

僕が「ゲームキャプテンとして、何もやっていない」と言うのは、心からの本音だ。

パラグアイにＰＫ戦の末に敗れたとき、僕はテレビのインタビューでこう答えた。

「泣きたいと思ったけれど、ゲームキャプテンは泣いてはいけないと思ったので我慢しました」

自分がゲームキャプテンとしてやったのは、泣くのを我慢したことくらいだったと言えるかもしれない。

南アフリカで初めて代表のゲームキャプテンを経験させてもらったことで、自分がキャプテンだろうが、なかろうが、常に選手というのは自覚を持って行動しなければいけないということに気がつかされた。これまでも自覚を持っているつもりだったけれど、まだ甘かったんじゃないかと思う。今後、日本代表や所属チームで誰がキャプテンになろうが、チームを整える存在として僕は全力でサポートするつもりだ。

19 グループ内の潤滑油《じゅんかつ》になる。

ワールドカップでは岡田監督が大会前から掲げていたベスト4には届かず、大きな悔しさが残った。だけれど、大会を戦っていくうちに選手はひとつの絆で結ばれていき、これまで経験したことがないほどに仲間意識が芽生《めば》えていった。正直、身体はボロボロになって壊れてしまいそうだったけれど、このチームメイトたちとなら、自分の選手生命をかけてもいいとすら思っていた。離れ離れになることを考えると、胸の奥が熱くなった。

これで最後なんて寂しすぎる。

試合後の夕食時にみんなで話し合い、帰国したら選手だけで集まって、ワールドカップの打ち上げをしようということになった。日程の調整は幹事を任された僕の役目だった。

候補日を紙に書き出し、移動中のバスのなかでみんなに配った。携帯電話のカレンダーとにらめっこして、みんな考えている。それを集計して日時を決めた。残念ながら闘莉王だけは家族の都合でブラジルに帰省したため、参加できなかったけれど、彼以外のワールドカップメンバー22人全員が打ち上げに出席した。当時は帰国早々ということもあり、取材やテレビ出演が殺到していたはずなのに打ち上げを最優先してくれた。

人目についたらいけないので、僕は知り合いの看板を出していない都内の鍋屋《なべ》さんを予約した。一軒家を改装した隠れ家的なお店だ。その日だけはわがままを言って、貸し切りにしてもらった(夏なのになんで鍋なんだよ、って突っ込まれたけど)。

乾杯の音頭はキャプテンの能活《よしかつ》さん(川口)。

人数も多かったので、テーブルは3つに分かれていて、それぞれのテーブルがみな楽しそうに過ごしていた。この日はお酒を飲みたいと思っていたのだけれど、僕はこの食事会のあとにテレビ出演が控えていたので飲めなかった。

2次会はそれぞれ自由に行くということで、ここで一旦解散。再び能活さんの音頭のもと一丁締《じ》めで終えた。

僕はテレビ局に向かい、テレビ出演を果たすと大急ぎで2次会に向かった。2次会は独身のメンバーが多く、僕もお酒を解禁！ ちょっとテンションが高くなってはじけた。しかし、心のどこかで「このチームは今日で解散なんだな」と一抹《いちまつ》の寂しさを感じていた。

また代表で再会しよう――。
口にはしないけど、みんなそんな気持ちになっていたと思う。ゲームキャプテンのときと同じくらい頼りなかったと思うけれど、何とか幹事としての役目を務められた。

浦和レッズ時代からずっとお世話になっているアスレチックトレーナーの清水康嗣《やすつぐ》さんに、こう言われたことがある。

「チーム全体に何か伝えたいことがあるとする。もちろん監督から言ってもらうことが基本なのだけれど、選手から伝えてもらって共有した方がいいこともある。そういうとき、その仲介役としてぱっと思い浮かぶのが長谷部くんなんだよな」

自分ではそういう実感はないのだけれど、確かにワールドカップでゲームキャプテンをやらせてもらったときは、チームスタッフから「あの選手が、ああ言っていたぞ。みんなに伝えた方がいいんじゃないか」と言われる機会が何度かあった。

前の項で書いた、試合前の国歌斉唱のときにみんなで肩を組むということに関してもそうだったし、ゴールを決めたあとベンチに走りよって、サブの選手たちと喜びを分かち合う、ということについてもそうだった。

スタッフのひとりが僕にこう言った。

「カメルーン戦で本田がゴールした後に、ベンチに走って行ったのはサブの選手たちにとっては嬉しかったみたいだぞ。ぜひ、あれを続けるようにみんなに言ってほしい」

僕は試合に出る選手たちに個別にそれを伝えた。デンマーク戦では、ヤットさん（遠藤保仁《えんどうやすひと》）も、岡崎《おかざき》（慎司《しんじ》）も、ゴールを決めた後にベンチに走ってくれた。本田（圭佑）が1点目のFKを決めたときは、どうやら僕が伝えたことを忘れてスタンドの方に行ったので、僕は真っ先に彼に抱きつきながらも、「ベンチに行こうよ！」と耳元で叫んだ。彼はハッと我にかえり、ベンチに走っていった（僕はちょっと遠かったので、行かなかったけれど㊕）。

確かに自分は前へ前へ出て行くタイプじゃないけれど、一人ひとりのところに行って、情報を伝達したり、共有するのは苦手じゃないかもしれない。

これからもチームのために役に立てるなら、いつでもグループ内の伝達役になるつもりだ。

20

注意は後腐《あとくさ》れなく。

アルベルト・ザッケローニ監督が日本代表を率いて2戦目となった韓国戦の後、スポーツ新聞にこんな内容の記事が載った。

長谷部が遅刻した森本を注意。

韓国戦直前のミーティングに遅れた森本貴幸《たかゆき》に対して、長谷部が「年下なんだから10分前に入るべきだろ」と注意した。

自分はこの件についてメディアの方々に話していないので、なぜ記者の方たちが知っていたのか分からないのだけれど、この記事は事実と違うところがある。

まず、僕は森本に対して「年下なんだから」とか「10分前に」とは言っていない。また、確かに注意はしたけれど、今回が初めてではなく、以前から「集合時間の前に来た方がいい」と森本には言っていた。キャプテンになったから何かやり始めた、というストーリーは分かりやすいかもしれないけれど、僕としては逆にそうならないように気をつけていた。キャプテンマークを巻いていても、巻いていなくても、やるべきことは変わらないからだ。

では、どう森本に言ったのか。

ミーティングが終わったあと、森本に声をかけて、「次からは5分前には来ようぜ」と、ごくシンプルに、そして、どこかおちゃらけた雰囲気を残して伝えた。

悪いものは悪い。遅刻した人間はルールを破ったんだから、遠慮する必要なんてない。言うべきことは言うべき。それが僕の考えだ。

ただし、こちらが偉そうに注意する権利はないし、上から目線だったら相手にも伝わらないだろう。ましてや、みんなの前で問いただす必要なんてなく、さりげなく言えばいい。いくらでもチャンスはある。移動中に歩きながら伝えてもいいし、トイレで横に並んだときでもいいかもしれない。

森本はすごく素直なところがあって、翌日のミーティングには10分前に来た。だから僕は「やればできるじゃん」と軽いノリで声をかけた。彼がどう感じているかは分からないけれど、僕は彼がきちんと時間前に来てくれたのがすごく嬉しかった。

選手同士は年齢に関係なく平等だし、誰が偉いなんてない。気さくに、それでいて真摯《しんし》に思ったことを言い合える関係を築くのがプロフェッショナルであり、僕の理想のチーム像だ。

21

偏見《へんけん》を持たず、まず好きになってみる。

もともと僕は、苦手な人とは距離を置くタイプだった。

監督の悪口を言ったり、愚痴《ぐち》を言ったりする人が苦手で、そういう人に無理して近づく必要はないと思っていた。しかし、２００６年に浦和レッズがＪリーグで優勝したシーズンに、その考えを改めようと思った出来事があった。

このシーズン、レッズはギド・ブッフバルト監督の３年目に突入し、自分たちの戦い方が確立されつつあった。前線ではＦＷワシントンとＭＦポンテが破壊力のある攻撃を仕掛け、後方ではＤＦ

闘莉王とMF啓太くん（鈴木）が守備を引き締める。オランダから復帰した小野伸二さんの存在も大きかった。僕は主にボランチの位置に入り、ドリブルや縦パスでボールを前に運ぶことを意識してプレーしていた。

'04年、レッズはJリーグ後期で優勝し、年間王者を決めるチャンピオンシップでは惜しくも横浜F・マリノスにPK戦で敗れたが、チームは大きな自信を手にした。1シーズン制になった'05年には年間2位になり、天皇杯ではマリッチのゴールで優勝。毎年、着実に階段を上がり、Jリーグ制覇は目前に迫っていた。

ただ、チームのレベルアップとともにポジション争いが激しくなって、出場機会が減る選手も当然出てくる。そういう選手のなかにはロッカールームで監督の悪口を言う人がいた。僕は試合に出られないときは、すべて自分に問題があると考えているから、チームの勝利を一緒に喜べない人がいるのは残念だなぁと思っていた。

でも、それは誤解だった。

'06年12月2日。Jリーグ最終節、レッズ対ガンバ大阪。

首位レッズと、2位ガンバとの勝ち点差は、わずかに3。

もしガンバが2点差以上をつけて勝てば、得失点差でレッズを上回り、逆転で年間王者になる。最終節が優勝決定戦というスリリングな展開だった。

当時、まだレッズは一度もJリーグの年間王者になった経験がなかったので、重圧から自滅してもおかしくなかった。しかし、先制されながらもポンテが同点ゴールを決め、さらにワシントンが2ゴールと爆発し、直接対決を3対2で勝利。念願の初優勝が決まった。この試合で僕はボランチとしてフル出場し、優勝の瞬間をピッチで味わうことができた。

この試合中、僕は意外な光景を目にした。

ロッカールームで悪口を言っていた選手が、ベンチから声を張り上げて、ピッチにいるチームメイトを必死で応援してくれていたのだ。一見モチベーションが下がっているように見えた選手も、チームのために何かをしなければ、という気持ちを失っていなかった。その気持ちとエールが僕に大きな力をくれた。

この経験以来、僕は「ああ、この人は苦手かもしれない」と思っても、とにかく一度は歩み寄ってみることにした。そのレッズの選手のように、いろいろ文句を言うかもしれないが、「発言することで自分自身を鼓舞している」のかもしれない。

自分の価値観と合わない人だと、人間はついつい悪いところばかり目についてしまうけど、いいところを探して、とにかく一度、信頼してみる。

こっちが好意を持って話しかけたら、きっと相手も好意を持ってくれると思う。逆に嫌いだと思っていたら、そのニュアンスは相手に伝わってしまう。

もちろん僕だって腹が立つことはある。

以前、知り合いから食事に誘われて、その方の家に遊びに行くことになった。食事を終えたあと、テーブルに200～300枚の色紙がどさっと置かれた。サインをしてほしい、ということだった。僕は黙々と約半分にサインしたが、「もうこの人とは距離を置こう」と思った。

あまりに失礼なことがあったら距離を置けばいい。ただ、最初から食わず嫌いで近づかないと、自分自身が損をしてしまう。

22

仲間の価値観に飛び込んでみる。

ヴォルフスブルクに移籍した当初、心がけていたことがある。

それはどんなに疲れていても「チームメイトから食事に誘われたら、絶対に断らない」ということだった。

僕は移籍の約1年前から英会話学校に通ってはいたものの、まだまだ中学英語に毛が生えたようなレベルであったし、肝心のドイツ語の知識はほぼゼロ。チームメイトとどうやってコミュニケーションを取るかということは、とても大きな課題だった。

もともと人見知りする性格で、浦和レッズに入ったときはチームメイトにさえもあまり話しかけられなかった。それでも、ピッチ内ではスイッチが入って躊躇《ちゅうちょ》なく声を出せるけれど、ピッチ外になると途端《とたん》に引っ込み思案になってしまった。

そういう性格をレッズの先輩であり、海外移籍経験の先輩でもある、小野伸二さんは心配してくれたのだろう。ヴォルフスブルクへの移籍が決まると、伸二さんはこんなアドバイスをしてくれた。

「ヨーロッパでは待っていたら誰も話しかけてくれない。ロッカールームではどんどん自分から話しかけていった方がいいよ」

ありがたいアドバイスだった。内気なままではドイツではきっと通用しない。移籍したら、どんどん話しかけなきゃ、と強く自分に言い聞かせた。

僕はまずチームのなかから、外国人と話すのが好きそうな選手を探した。ドイツ人選手のなかには英語を勉強していて、英語を使いたい選手もいる。そういう選手なら僕が声をかけても、喜んで話に付き合ってくれると思ったのだ。

ヴォルフスブルクの場合は、センターバックのマドルンクと左サイドバックのシェーファーがそうだった。特にマドルンクは地元でスポーツバーを経営しているからか、すごく社交的で「俺のバーに飾りたいから、シュンスケ(中村俊輔)のセルティックのユニフォームをもらってきてくれ!」なんて、肩に手を回して頼んでくる。これは結局俊さんに無理を言って、事務所の人を通じて届けてもらった。

それはさておき、僕は英語とカタコトのドイツ語をミックスして、積極的にチームメイトに話しかけた。発音や文法が不正確なんて言っていられない。ときにはドイツ語の放送禁止用語を使ったりして、みんなを笑わせたりもした。

しばらくすると、彼らは食事に誘ってくれるようになった。

正直、言葉が理解できないのに一緒に食事をするのはつらかった。ものすごいスピードで会話が進んでいき、何について話しているのか分からないので相槌《あいづち》さえも打てない。

だけど、一度断ったら二度と誘ってもらえないかもしれない。そう思い、食事の誘いは断らなかった。

最近は違うのだけれど、僕が入ったころはホームの試合後にみんなで食事をして、そのまま「ディスコに行こう!」となるのがいつものパターンだった。僕はディスコやクラブが苦手で日本ではほとんど行かなかったけれど、この誘いも断らなかった。

「マコト、あの娘《こ》、かわいいね?」

「え~、好みじゃないなあ」

「どれくらい飲めるの? まだいけるよね?」

「オレ、あんまり強くないんだよ」

そんな他愛もない話をしながら、ウォッカをレッドブルで割った定番ドリンクを片手に、チームメイトの輪に飛び込んだ。

最初に誘われて遊びに行ったとき、時計の針が夜中の2時をまわり、さすがに眠くなったので、「先に帰るよ」とチームメイトに伝えた。すると「何だノリが悪いじゃないか」とムッとされてしまった。次からは朝5時まで頑張る（笑）ようにした。当然その時間までいれば、次の日に影響するし、よくないということは分かっていた。でも、それでもチームメイトのことを知ったり、考えに触れたりすることの方がもっと大事だった。

ある意味、試合より疲れる。大音量のせいでドイツ語もうまく聞き取れない。けれど、ピッチから離れて一緒に時間を共有することで、あいつは意外にまわりを見ているんだとか、実は繊細なんだとか、チームメイトの一面が見えてくる。きっとそれは相手にとっても同じで日本人選手はこういう考え方をしているんだな、とピッチ外の時間を通して分かってもらえたと思う。

特にヨーロッパの人たちは、日本人に対して未知な部分があって、ときにはそれが不気味さにもつながる。たとえば日本人は話しているときに、ずっと相手の目を見ずにときどき目を離すのが普通だ。しかし、ヨーロッパの人たちからしたら、「何か不満があるんだろうか」と疑心暗鬼《ぎしんあんき》になってしまう。そんなちょっとした誤解を解くには、一緒に長くいるのも方法のひとつだ。

ドイツに移籍してからは、こういう経験が大きかったからか、元来の人見知りする性格は影を潜《ひそ》めた。今であれば、どんな人と会っても共通の話題を見つけられるようになったし、新しい選手が入ってきたら、当時を思い出し、できるだけのことはしているつもりだ。

文化や背景が違う国を越えて、信頼関係を築くのは難しいと感じるときもあるけれど、失敗してもいいから、まずは近づいてみることが大切だと思う。相手だって、こちらが興味を持つと嬉しいものだ。

チームメイトはライバルでもあるけれど、同じ目標に向かう仲間でもある。キャラクターを知り、絆を深めることで、それがピッチでも活《い》きる瞬間があるだろう。

23

常にフラットな目線を持つ。

アスリートにとって「自信」はガソリンのようなものだ。自信が背中を突き動かし、高い壁を越えるエネルギーを生み出してくれる。僕自身の経験でいえば、タイトルを獲得するごとに自信がついていったように思う。浦和レッズでは２００３年のナビスコカップ制覇に始まり、続いて天皇杯（'05年、'06年）、Ｊリーグ（'06年）、ＡＣＬ（'07年）で優勝。また、ヴォルフスブルクに移籍してからは、移籍2年目の08－09シーズンにブンデスリーガの王者になった。

オランダの天才、ヨハン・クライフは「優勝経験は、選手にとってお守りになる」と言う。タイトルは選手の評価を安定させて、批判から守る効果があるからだ。まさに僕の場合も、自信が揺らぎそうになったとき、ＡＣＬのトロフィーやブンデスリーガのマイスターシャーレ（優勝皿）の記憶がしっかりと守ってくれたような気がする。

正直、今だったら、どの国のリーグに行ってもレギュラーになれるという自信がある。もしヴォルフスブルクで1、2試合先発から外されることがあっても、何度もそういう状況を乗り越えてきたので、「また選ばれるはずだ」と動じなくなった。

ただし、いくら自信を持ったからといっても、「上から目線」には気をつけなければならない。自信が生まれたからといって偉くなるわけでもないし、ましてや成功や勝利は自分ひとりの力で勝ち取ったわけでもない。だからこそ、「上から目線」というのは、人と付き合ううえで、絶対にプラスにはならない。偉そうにしたり、知識を見せびらかしたり、自分を実際以上に大きく見せようとしたりすると相手は不快な思いをする。

ただし、僕も人のことは言えない部分もある。

試合で負けてイライラしているときには、テレビのインタビューなどで表情に出してしまうことがある。本書を書くうえでも、とにかく「上から目線」にならないように気をつけているけれど、もしかしたらそう感じさせてしまう部分もあるかもしれない。

ただ、だからといって、「下から目線」になってもダメだ。

相手に媚《こび》を売ったり、ゴマをすったり、下手に出るのは自分自身を貶《おとし》めることになってしまう。ヨイショすれば気に入ってもらえるはずだ、という目で見ているということでもあり、それは相手に対しても失礼だと思う。

コミュニケーションにおいては、どちらも対等な関係であるべきだ。たとえば、選手とサポーターの関係でも、どちらが偉いとかはなく、同じ目線で接するべきだと思う。もちろん互いに礼儀は必要だけれど、ドイツのサポーターが気さくに選手に話しかけているのを見ると、「素晴らしい関係だなあ」と感心させられる。

誰に対しても視線をフラットに保つ。そうすれば余分な軋轢《あつれき》も生まず、より安心して仕事に打ち込めるのではないだろうか。

24

情報管理を怠《おこた》らない。

選手にとってメディアとの距離感をどう保つかは、本当に難しいテーマだ。

記者の方たちは選手の気持ちや思いを、サポーターに届けてくれる大切な存在だ。普段からいい関係を築きたいと思っている。しかし、だからと言って仲良くなりすぎるのはよくない。仲良くなりすぎると、話すべきではないチームの機密情報もポロッと話してしまう場合もある。当然それはいけないことだ。

どんな選手を使い、どんなフォーメーションで臨むかは当然ながら事前に相手に知られない方がいい。そのために試合前日の練習は非公開にされることが多い。実際、ワールドカップにおいて、日本代表の前々日と前日の練習は必ず非公開にされた。

ところが、選手やスタッフしか知らないはずの情報が翌日の新聞に出ていることがときどき起こってしまう。記者がスタジアムに潜入してこっそり見ている可能性もゼロではないが、もし選手が記者に話していたとしたら、それは絶対にあってはいけないことだった。

ワールドカップでは、オランダ戦の前に非公開練習の内容がメディアに漏《も》れ、試合後の記者会見で岡田監督に情報管理の甘さを問う質問が出たそうだ。だが、監督に責任を問うのは筋違いだと思う。選手やスタッフの一人ひとりがチームの一員であることを自覚し、組織にとってマイナスになるようなことをしないのは当たり前のことだからだ。

記者の方も仕事だし、人の口に戸は立てられないのだからこそ、メディアとの距離感にはバランス感覚が必要だ。だから僕は記者の方に対してはあるところで一線を引き、プライベートの顔はあまり見せないようにしている。仕事とプライベートがごっちゃになった関係になると、サポーターに対してフェアではなくなる気がするからだ。

情報管理は徹底しなければならない。日本のような強豪国ではない国が本気でワールドカップの優勝を目指すのなら、些細《ささい》な綻《ほころ》びにも厳しい態度で臨んでいくべきだと思う。

自分で自分の首を絞《し》めることほど、馬鹿らしいことはない。

25

群れない。

僕はみんなで食事に行くのは嫌いじゃない。人と話すことで刺激を受けるし、自分が知らなかったことに出会うこともできる。

ただし、いつも同じメンバーで食事に行くとなると話は別だ。同じメンバーだと結局、最後は「愚痴大会」になってしまうという印象があって、そういう不満の解消法は好きではないからだ。

たとえば、地元の同級生に会うと会社の上司の悪口が出てくることがある。そんなとき僕は、「本人に直接言おうよ」とやんわりと流れを切るようにしている。聞かされる方も気持ち良くないし、言っている本人にとってもマイナスだと思うから。

子どものときから特定の友達と一緒にいるというよりは、誰と誰が仲がいいというのはあまり意識せずに、みんなと遊ぶようにしていた。中学生のときには、みんなから無視された子とあえて一緒にいたこともあった。

こういうスタンスはサッカーでも同じだ。

浦和レッズ時代、僕はなるべく派閥《はばつ》みたいなものに属さないようにしていた。どのグループとも仲がいいけれど、いつも一緒にいるわけではない。もしかしたら、一匹狼のような印象を持たれていたかもしれない。ただし、これはチームメイトとの付き合いを避けるのとは違う。自分だけが腹を割らない、ということでもない。僕は常にみんなと信頼関係を築きたい。

では、どうして派閥に属さないのか？

それは「グループに甘える」関係になるのが嫌だからだ。

正直、組織やグループに身を委《ゆだ》ねてしまえば、楽なことが多い。

たとえば、僕がドイツに行くとき、所属事務所にお願いして、サポート役としてスタッフを派遣してもらうことも可能だった。そうすれば食事も作ってもらえたし、掃除もしてもらえた。短期的にサッカーに集中することだけを考えたら、スタッフがいてくれた方がはるかに楽だったと思う。しかし僕は、ひとりで勝負することにこだわった。ピッチ外のプライベートで誰かに甘えてしまったら、ピッチ内でも甘さが生まれると思った。

ある記者の方から、「長谷部くんは、国でたとえたらスイスかな」と言われたことがあった。永世中立国のスイスは、EU（欧州連合）に加わっておらず、2002年までは国際連合にも属していなかった。時計などの精密機械や金融業で外貨を稼ぎ、独立性を保ち続けている。その中立性を生かして、FIFA（国際サッカー連盟）、UEFA（欧州サッカー連盟）、IOC（国際オリンピック委員会）など、名だたる世界的なスポーツ組織の本部がスイスに置かれている。

自分としてはスイスに思い入れがあるわけじゃないけれど、確かにまわりとの付き合い方は似ているところがあるのかもしれない。

思えば、ワールドカップにおける日本代表は、ほとんど派閥を感じさせない集団だった。

大会期間中、日本代表が拠点にしていたジョージのホテルでは食事のときに座る席が決まっていて、僕は本田（圭佑）、エイジ（川島永嗣）、今ちゃん（今野泰幸《こんのやすゆき》）、ヤットさん（遠藤保仁）、稲さん（稲本潤一）、岩政《いわまさ》（大樹《だいき》）さんらと同じテーブルだった。能活さん（川口）だけが岡田監督からの指示で、食事ごとに各テーブルに順番に座っていた。

けれど、いつもそのメンバーで固まっていたわけではなく、試合で他の都市に移動したときには、そのときどきで違うメンバーで食べていた。5、6人の小さなグループに分かれているのではなく、チーム全体がひとつのグループになっていたのだ。

もちろんこれは僕の理想であって、派閥を否定するわけじゃないし、大きな集団では派閥同士が切磋《せっさ》琢磨《たくま》して集団として成長するということもあるかもしれない。ただ僕は全員と信頼関係を築きながら、それでいて特定のグループに属さないというスタンスが好きだ。もしそれが実現できれば、たとえどんなに強い逆風が吹こうとも、自分の芯も、チームの芯も簡単には揺らがないのではないだろうか。

第4章

信頼を得る。

26→32

26

組織の穴を埋める。

サッカー選手として、自分には一目で分かるような突出した武器がない、ということは自分でもよく分かっている。ピッチ中央でのドリブルやペナルティエリア付近への縦パス、サイドからのクロスなど武器だと思っているプレーはある。けれど、オランダ代表のアリエン・ロッベンのように相手を置き去りにできる圧倒的なスピードはないし、俊さん（中村俊輔）のように観客をあっと驚かせるような華麗なパスをコンスタントに出せるわけでもない。守備を含めたMFとしての総合力には自信があるけれど、武器がいまいち分かりづらい、ということは自覚している。

だからこそ、レベルの高いチームのなかで生き残り、先発メンバーに名を連ねるためには、何か人と違うストロングポイントを示さなければならない。

僕にとってのそれは、「組織に足りないものを補う」ことだ。

ヴォルフスブルクには、エゴが強くて、自分が何とかして点を取ってやろうという意識の選手がとても多い。それはそうだろう。点を取れば手っ取り早く評価につながるだろうし、サポーターの心も摑《つか》める。ただ、それは攻撃という意味では決して悪いことではないのだが、守備の意識が薄いと組織は当然ながら崩れてしまう。

移籍当初、僕はそれに気がついた。練習中でも、試合でも、そういうシーンが目についたし、バランスの悪さから失点することも多かった。攻撃力の影に潜《ひそ》むこの弱点をどうにかしないと上位にはいけないと思ったのだ。当然ながら試合にも出たいし、何より勝ちたい。だから僕は自分がチームのバランスを最優先で考え、エゴが強い選手を支えようと考えた。そうすれば目立たないかもしれないけれど、必要とされる選手になるはずだと。マガト監督が日本人を獲得した狙《ねら》いも、きっとそこにあった。

中盤から攻めあがる選手がいたら、自分は中盤に留《とど》まって相手のカウンターにそなえる。みんなが疲れてきて動きが落ちてきたなと思ったら、人の分までカバーして走る。海外リーグで生き残っていくために、自分の良さをピッチで表現したいという欲やエゴより、組織の成功を優先してきた。その判断は正解だったと思う。そういう姿勢が認められたからこそ、2009年5月23日、ヴォルフスブルクがリーグ初優勝を決めた重要な一戦で、ピッチに立てていたのだと思う。

僕の契約に関する、こんなエピソードがある。

'10年1月、ディーター・ヘーネスさんが新たにスポーツディレクターに就任した。バイエルン・ミュンヘンのウリ・ヘーネス会長の弟で、ヘルタ・ベルリンでマネージャーを務めた経験があり、ドイツサッカー界では名が知れた人物だ。

僕とクラブの契約は'10年6月末で切れる予定だったので、僕の代理人がヘーネスさんと話し合うことになった。しかし、当時はヘーネスさんがヴォルフスブルクに来てから日が浅く、僕のプレーに関しては、ヘルタ時代に何となく見たことがあるという程度だったらしい。

僕の代理人はロベルト佃《つくだ》さんだが、業務委託《いたく》でドイツでの交渉はトーマス・クロートさんに任せている。そのトーマスさんがヴォルフスブルクの事務所を訪れ、ヘーネスさんと会談した。

ヘーネスさんは、トーマスさんにこう訊《き》いたそうだ。

「ヴォルフスブルクの試合は何回か観たが、実はハセベのプレーがあまり印象に残ってない。彼の良さはどこにあるんだい？」

トーマスさんは答えた。

「確かに彼のプレーは目立たないかもしれない。しかし、90分間、マコトのポジショニングを見続けてくれ。そうすれば、どれだけ組織に貢献しているかわかるはずだ」

後日、ヘーネスさんはトーマスにこう連絡してきたという。

「キミの言っていたことが分かったよ。彼は組織に生まれた穴を常に埋められる選手だ。とても考えてプレーしているし、リーグ全体を見渡しても彼のような選手は貴重だ」

ヴォルフスブルクは僕に契約延長のオファーを提示してくれた。実は他のクラブからもオファーがあったのだけれど、僕は結局ヴォルフスブルクに残った。このチームで一年を通じてコンスタントに出場して、もう一度優勝したいという思いもあったし、何よりチームが必要としてくれることが嬉しかった。

もしかしたら浦和レッズ時代を良く知るサポーターは、

「長谷部はもっと攻撃的なプレーをすべきだ」

と感じているかもしれない。自分らしさを消して、我慢してプレーしているのではないか、と。

確かに組織のためにプレーしようという意識と、自分の良さを出したいという欲がぶつかって、葛《かっ》藤《とう》が生まれることもある。けれど、「自分を殺すこと」と「自分を変えること」は違う。

僕はヴォルフスブルクで、自分を殺してプレーしているわけじゃない。

すぐに評価を上げようと思ったら、目立つプレーをした方が手っ取り早い。だけれど、組織に成功がもたらされたときには、必ずチームプレーをしている選手の評価も上がるはずだ。

焦らず我慢して継続すれば、いつか「組織の成功」と「自分の成功」が一致する。それを目指しているのであれば、組織のために自分のプレーを変えることは自分を殺すことではなくなる。

僕は就職したことがないので、自分の立場をビジネスマンの人たちに簡単には置き換えられないけれど、会社でも組織のベクトルと個人のベクトルを一致させられれば、どんな仕事でも自分を生かすことができるのではないか。チームの穴や業界の穴を分析し、誰よりも早くその穴を埋めていく。そうすれば、誰もが気がついてくれるわけじゃないけれど、必ず見てくれる人はいる。

これからも僕は、組織のために足りないものを補える選手であり、組織において不可欠な人間でいたい。そうすれば、たとえ目立たなくてもピッチに立つことができるだろう。

27

監督の言葉にしない意図・行間を読む。

選手にとって、自分の力不足を最も痛感させられる瞬間のひとつは先発から外れて、ベンチから試合を見ているときだ。試合が始まったらチームメイトを応援するが、先発から外れた悔しさはそう簡単に消えない。落ち込まないといったら嘘《うそ》になる。

けれど、ベンチで塞《ふさ》ぎ込んでいても何もプラスにはならない。むしろ、監督からの印象が悪くなってしまうだろう。ベンチに座っているときこそ、選手にとって大切な「頑張りどころ」だと僕は考えている。

なぜなら、監督がどんな指示を出しているかをすぐ横で見る絶好のチャンスだからだ。

試合に出ているときというのは、監督からの声は聞こえるものの、ずっとベンチを見ているわけにはいかないので、監督がどんなプレーに満足し、どんなプレーで怒るのかは断片的にしか分からない。

一方、ベンチにいたら監督の振舞《ふるま》いをすべて確認できる。

08－09シーズンのことだ。右サイドバックにイタリア代表のザッカルドが加入し、それまで同ポジションを務めていたリーターが右MFにコンバートされた。もしくはリーターは右サイドバックのままで、ザッカルドが右ＭＦに入ることもあった。ザッカルドの加入により、僕は先発から外れることが多くなった。

リーターは運動量があるだけでなく、クレバーで僕が尊敬している選手のひとりだ。２０１０年のワールドカップ後、ドイツ代表の監督の目に留まり、代表にも呼ばれるようになった。まだ僕がそんなにドイツ語を話せないときから、食事やディスコに誘ってくれて、今でも仲良くさせてもらっている。

一方、ザッカルドはフィジカルの強さが売りで、イタリアが'06年ワールドカップで優勝したときのメンバーだ。

けれど、ポジション争いに実績なんて関係ないし、すぐにレギュラーを奪い返す自信があった。

僕はベンチにいるとき、マガト監督がＭＦにどんな指示を出し、どんなプレーに一喜一憂するのかをじっくりと観察した。その結果あらためて分かったのは、僕が思っている以上にマガト監督はリスクの高いパスを嫌うということだった。前方の2トップに向かって、ロングボールをドーンと放り込むのはいいが、ショートレンジのパスをカットされてカウンターを食らったときには、声を張り上げて怒っていた。

ＭＦとしては局面を一発で打開するパスを出したい……という誘惑にかられるが、僕は今までよりさらに“Sicherheit”（ドイツ語で「確実性」の意味）を大事にして、プレーするようになった。

結局、ザッカルドがチームのやり方にうまくはまらなかったこともあって、リーターが右サイドバックに戻り、僕は再び右MFとして先発できるようになった。ベンチでふてくされているだけだったら、おそらく状況を変えることはできなかったであろう。

監督の「言葉にしない気持ち」を意識的に考えるようになったのは、プロになってからだ。これは浦和レッズの1年目、オランダ人のハンス・オフト監督との出会いが大きかった。レッズに加入したとき、僕はほぼ無名の存在で自分としては「失うものはない。思い切ってやろう」と力が入っていた。練習から遠慮せずにガツガツとプレーし、チームメイトに文句を言われても、その場ですぐに言い返した。監督に反論することすらあった。

もしかしたら、Jリーガーになったことでどこかに驕《おご》りが生まれていたのかもしれない。のちに記者の方に教えてもらったところによると、当時オフト監督はこう感じていたそうだ。

「ハセベは天狗《てんぐ》になりやすいところがある。だから1年目はプロの厳しさを教えなければいけない」

オフト監督は、ある方法で僕に厳しさを叩《たた》き込もうとした。

Jリーグの試合のベンチ入りメンバーは18人に決められている。だが何かあった場合にそなえて、レッズは1人多い19人を試合に帯同させていた。つまり誰か1人が試合当日にメンバー外になるということだ。

当日、スタジアムに向かう前にホテルでミーティングを行なう。そこでオフト監督はまず先発メンバー11人を発表し、続いてベンチに座る7人を告げる。ここで名前を呼ばれなかった「ひとり」が登録メンバーから外れなければならない。

プロ1年目、僕はことごとく、その「ひとり」になった。

18歳の僕にとって、それを受け入れるのは簡単じゃなかった。

ホームならまだしも、アウェイに行ってもベンチにすら入れないのは本当につらい。直前にベンチから外すなら、最初から行かない方がマシだと思うときもあった。人生初の外国人監督に対して、不信感を抱きつつあった。

だが、あるとき僕は勘違いしていたことに気づかされる。

いつものように僕の名前だけ呼ばれず、ベンチ外が決まったときのことだ。オフト監督は最後にこうつけ加えた。

「今日、ベンチに入れなかった選手がひとりいる。彼は今トレーニングをすごく頑張っている。彼のためにも今日の試合は勝とう」

監督はちゃんと自分を見てくれていたのだ。

決して嫌がらせでベンチ外にしていたわけではない。

大げさに言えば、英才教育をしてくれていたようなものだ。

この経験があったからこそ、試合に出られない選手の気持ちを理解できるようになったし、慢心が膨らまないよう自分を客観視できるようになった。

クラブでも代表でも、新しい監督と出会うたびによく観察し、言葉にしない行間を読むようにしている。表面的な出来事や印象だけで分かることは限られている。

28 競争は、自分の栄養になる。

代理人のロベルト佃さんから、こう言われたことがある。

「ハセのいいところは競争を怖いと思っていないこと。まあ、ヨーロッパや南米の選手なら、それが当たり前なんだけど、日本人では珍しいね（笑）」

ロベさんはアルゼンチン出身の日系人で、子どものときから本場のサッカーに触れてきたので、プレーを見る目がすごく肥えている。横浜F・マリノスの通訳や強化スタッフとして働いた経験があり、見た目は日本人なのだけれど、物の考え方とサッカーの見方は完全に〝南米流〟だ。常にレベルの高い要求をしてくれるので、すごく刺激になっている。僕の他には俊さん（中村俊輔）や、アベちゃん（阿部勇樹）、長友（佑都）、岡崎（慎司）などの代理人を務めている。

僕がドイツに移籍したときには、

「Jリーグでは上半身から相手に当たっていたけれど、ヨーロッパでは下半身でぶつかるイメージにした方がいいよ」

とアドバイスしてくれた。実際にドイツでそれを意識してみると、筋力トレーニングの効果もあって、だんだん激しいぶつかり合いでも耐えられるようになっていった。ブンデスリーガで2、3試合プレーしたとき、「下半身から当たれるようになってきてるね」と電話で言われたのが、すごく嬉しかった。僕が何を課題にしてプレーしているかも、いつも気がついてくれる。そういう観察眼を持ったロベさんが「競争を怖がっていない」と言うのだから、自分では意識していなかったけれどそうなのかもしれない。

ドイツに移籍して、ちょうど1ヵ月が経った頃のことだ。当時マガト監督は僕を中盤のいろいろなポジションで起用し、右MF、左MF、1ボランチで試していた。1ボランチのレギュラーを務めていたのは、ブラジル代表のジョスエ。身長は169cmと高くないが読みが鋭く、足下に矢のようなスライディングを仕掛けられる、守備能力の高いボランチだ。左MFにはドイツ代表のゲントナーがいるので僕自身は右MFに落ち着くのかな……と考えていた。実際、時間が経つにつれて、右MFでの出場が多くなっていった。

しかし、ある練習の紅白戦のとき、マガト監督は僕に1ボランチの位置に入るように指示した。僕はポーカーフェイスを保ちつつも内心驚いた。

当然、そこが定位置のジョスエは面白くない。紅白戦が始まると僕の存在を無視するかのように1ボランチの位置に入り込んできた。あたかも、ここはオレの場所だ、とアピールするかのように。

「ふざけんな、絶対にどかないぞ」

確かにジョスエは世界最高峰のボランチのひとりだ。ただ、いくら新入りだからといって自分からポジションを差し出すつもりはない。そんなことをしたら、ドイツに来た意味がなくなってしまう。それにこれは監督の指示でもあるから、僕から譲《ゆず》るわけにはいかなかった。

しばらくの間、2人が同じ場所にいるという異常な状態が続いた。組織のバランスなんてもう無茶苦茶。勝たなければいけない敵は相手チームではなく、チームメイトだった。

見かねたマガト監督が怒鳴った。

「ジョスエ!! お前のポジションはそこじゃない!」

形としては僕に軍配が上がったが互いに譲らなかったのだから、痛み分けだ。

その後、再びジョスエは1ボランチで起用されるようになり、僕は右MFが定位置になった。もしかしたらマガト監督は、僕を使ってジョスエに危機感を植えつけたかったのかもしれない。それでもあのときポジションを譲らなかったことは、「ハセベは頑固だ」と、チームメイトになめられないという意味で、すごく大きかったと思う。

競争を恐れない。むしろ歓迎する。そういう「競争ウェルカム」みたいな姿勢は、僕の特徴のひとつなのかもしれない。

ただし、もとから競争を楽しめたわけではない。どちらかというと、正面きって誰かと争うのは、苦手なタイプだった。

高1のとき、上品にプレーしすぎていて、サッカー部の服部康雄《はっとりやすお》監督から「そんなチンタラやってるようなやつは、うちのサッカー部には要らない!」と、どやされたことがあった。高2の夏をすぎたあたりから試合に出られるようになったが、まだ自信があると言えるようなレベルにはなかった。

ガツガツするようになったのは高3のときだ。サッカー部の下の学年にいい選手がいっぱいいて、先発の11人中9人が2年生と1年生だった。つまり僕を含めて3年生は2人しかいなかったのだ。まわりの人たちからは「藤枝東の1、2年生すごいぞ」という評判ばかり聞こえてきて、それが悔しくて悔しくてしかたなかった。

夏まで僕は右サイドでプレーし、トップ下には2年生の翔《しょう》（成岡《なるおか》）が入っていた。つまり彼がチームのエースということだ。けれど、翔がU-17日本代表の試合で一時期チームを離れたことにより、僕がトップ下を務めることになった。

そのとき僕は驚くほどに調子が良く、パスを出せばすべて通るし、シュートを打てばすべて入るという感じだった。結局、夏のインターハイでも引き続きトップ下を任され、代表から帰ってきた翔はFWをやることになった。僕は技術面で彼のレベルに及ばなかったけれど、トップ下のポジション争いに勝ったことで、大きな自信になった。

そして、浦和レッズに加入したことで、さらに競争心が強められることになる。生まれて初めて外国人選手とチームメイトになったことで、サッカーの価値観が変わったからだ。

当時のレッズにはエメルソンという圧倒的スピードを持つブラジル人FWがいた。練習の紅白戦で、僕がスライディングでボールを取ろうとしたら足が彼に当たってしまった。すると彼は激怒《げきど》し、直後のプレーで思いっきり僕の足を削ってきた。高校では味わったことがない激しさ、そして汚さだった。

最高にムカついた。僕は次の競《せ》り合いのときに、思いっきりやり返してやった。エメルソンは激怒して、つかみかかってきた。僕も熱くなった。互いに胸倉をつかんで、殴り合い寸前になった。

18歳の新人にしては生意気だったと思う。でも最初が肝心だし、なめられるわけにはいかなかった。一度なめられてしまったら、それは永遠に続く。あのときのことはまったく後悔していない。

競争は自分を進化させてくれる。

次第にそう思うようになると競争が怖くなくなった。だからライバルになるような選手が加入しても、怖いとは思わない。「ポジション争いが厳しくなる」とは思うけれど、むしろ「それによって自分がどう変わるかな」という楽しみの方が大きい。

2002年にレッズに加入したとき、当時のU-23日本代表、山瀬功治《やませこうじ》さんが移籍してきた。'04年には元日本代表の酒井友之《さかいともゆき》さん、'07年には日本代表のアベちゃんが加入してきたけれど、僕は「絶対負けない!」と思っていた。そういった過酷《かこく》な競争が選手としての成長を後押ししてくれたと思う。

ヴォルフスブルクでも毎シーズン、各国の代表級の選手が加わり、レッズ時代以上に厳しい競争にさらされている。大抵、地元新聞の予想スタメンから僕は外され、実際に何度もレギュラーから落ちかけた。けれど、最終的には僕は自分のポジションを取り戻すことができている。

日本人選手がヨーロッパでやっていくためには、競争に前向きなメンタリティは絶対に必要だ。

競争は成長するための栄養のようなもの。楽しいことばかりじゃなく、つらいこともあるけれど、逃げずに向き合い続ければ身体の隅々《すみずみ》までその栄養が行き渡る。

29

常に正々堂々と勝負する。

ドイツに住んでいると朝、教会が奏《かな》でる鐘《かね》の音色《ねいろ》で目が覚めることがある。教会が時報代わりに鐘を鳴らすからだ。15分のときに1回、30分のときに2回、45分のときに3回、00分のときに4回、鐘が鳴り響く。僕はこの瞬間が好きだ。

春や夏に、窓の外を見ると、よくウサギが芝生の上を歩いている。多いときは5、6匹がかたまって草を食べていて、何だか微笑《ほほえ》ましい。芝生のところどころに穴が空いているので、きっと冬はそこで寒さをしのいでいるのだろう。

ドイツに移住してから約3年が経ち、すっかりドイツの生活にも慣れてきた。とはいえ、まだドイツのことを分かったとはとても言えない。ドイツ人気質はまだまだ分からない部分があるし、特に語学をパーフェクトにするのは本当に難しい。今でも家庭教師の方にお願いして、週に1度のペースでレッスンを受けている。

だから、2010年夏元Jリーガーのピエール・リトバルスキーさん（現・監督）がヴォルフスブルクのコーチに就任したのは、僕にとって嬉しいニュースだった。

リティ（リトバルスキーさんの愛称）は'90年イタリア・ワールドカップで優勝した当時の西ドイツ代表の英雄で、Jリーグではジェフ市原（現・千葉）やブランメル（現・ベガルタ）仙台でプレーした。監督としても横浜FCとアビスパ福岡を率いた経験があり、日本語がペラペラだ。

リティの奥さんは日本人で、リティを通じて餃子《ギョーザ》や唐揚げといった日本人の舌に合う料理をよく差し入れてくれる。独身の僕にとって、これほどありがたいものはない。

ただし、リティが入ってきてしばらく経ったとき、これだけはしないでくれ、とお願いをしたことがひとつある。それは「チームにいるときは、日本語で話しかけないでほしい」ということだ。

リティがヴォルフスブルクに加入した当初、彼は選手やスタッフがいる前で僕に気を遣《つか》って日本語で話しかけてきた。異国のクラブで母国語を聞いたら、きっと僕が喜ぶと思ったのだろう。

しかし、他のチームメイトはどう感じるだろうか。何を話しているのか分からず、どこか不気味ではないだろうか。チームメイトの心を乱してしまう原因にもなりうる。それに贔屓《ひいき》しているような感じがして、きっといい気はしないはずだ。「コーチが親日家だから、あいつは試合に出られているんだ」と思う選手もいるかもしれない。

僕はどんな状況においても、監督やコーチに対してゴマをすりたくない。媚《こび》を売って試合に出られたとしても、そんなものは長続きしない。

だから、リティの気持ちは嬉しいけれど、みんなの前では日本語で話すのを止めてもらった。リティは僕の考えを理解してくれて、それ以降、団体行動のときはドイツ語しか使わなくなった。

普段から正々堂々と勝負していれば、たとえまわりから陰口が聞こえてきたとしても、まったく気にならない。逆にそういうことを言う人をかわいそうだなと感じる。

サッカー選手としての力はピッチの上で証明すればいい。ゴマスリや媚は自分の覚悟を弱らせてしまう。

30

運とは口説《くど》くもの。

2003年のナビスコカップ優勝や'07年のACL優勝など、浦和レッズ在籍時には計6つのタイトルを獲得した。この6つの優勝が決まったすべての試合において、試合終了の時点でピッチに立っていたのは、僕だけだった。途中出場のときもあったけれど、なぜか試合終了の瞬間にはピッチにいた。ただ運が良かったとも言えるけれど、自分としては7年間レギュラーに近いところに居続けたということの証《あかし》だったと思っている。

そういったことも含めて、僕は取材などで「長谷部さんは運がいいですね」と言われることがある。「いいですね」と言われれば、「いいです」と答える。確かにそれは事実だけれど、どこかしっくりこない。「経営の神様」と呼ばれる松下幸之助さんが言うように運というのは、自分が何か行動を起こさないと来ないものだと思っているからだ。

さぼっていたら、運なんて来るわけがない。

それにただがむしゃらに頑張っても運が来るとは限らない。

普段からやるべきことに取り組み、万全の準備をしていれば、運が巡《めぐ》ってきたときにつかむことができる。多分、運は誰にでもやってきていて、それを活《い》かせるか、活かせないかは、それぞれの問題なのだと思う。

だから、僕は試合後に、「ツイていたね」とか「運がよかったね」と言われるのが嫌いだ。ギリギリのところで運が味方してくれるのは、ただ運がよかったわけではなく、それにふさわしい準備を僕がしていたはずだから。

逆に、「運が悪かった」とも思わない。結果が悪かったときには、「運」を味方につける努力が足りなかったのだと思っている。

以前、代理人のロベルト佃さんと運について話したことがある。ロベさんはアルゼンチンのことわざについて教えてくれた。

「スペイン語で運（la suerte）は女性名詞。だから、アルゼンチンの人たちは『運を女性のように口説きなさい』と言うんだ。何も努力しないで振り向いてくれる女性なんていないだろ？　それと同じで、運もこちらが必死に口説こうとしないと振り向いてくれないんだ」

異性を口説くのと同じように、運も口説きなさい。ユーモアがあって、堅苦しくなくて、僕はこのアルゼンチンのことわざを一発で好きになった。

運を口説くことに関しては、とことんうまくなりたいと思っている。これからも、あの手、この手で運の女神を振り向かせたい。

31

勇気を持って進言すべきときもある。

一般社会においては良かれと思って上司に進言しても、それが原因で上司ともめてしまうことがある。それはサッカーの世界でも同じで、監督に戦術やチームマネージメントに関して意見を言うことは大きなリスクをともなう。監督は選手起用に関しては全権を握っており、もし嫌われてしまったら、干される可能性だってある。しかし、僕は何かチームにおいて気がついたことがあったら、嫌われるとか先発から外されるとか、そういうことはなるべく考えないようにして、直接監督に進言するようにしている。

「するようにしている」と言うとちょっとカッコつけた感じがするかもしれないけれど、進言するのは自分のためでもあって、疑問に思ったことを黙ったままでいると僕の場合、気になって仕方がないのだ。

今季、ヴォルフスブルクでのことだ。

練習中、スティーブ・マクラーレン監督（当時）から、「サイドの選手がボールを持ったときは、守備的MFは斜めうしろに立って、スペースをカバーしろ」と指示された。もしうしろに立っていれば万が一ボールを奪われたとしても、相手の素早いカウンターを防ぐことができる。監督がリスクマネージメントしたいと考えるのはある意味当然だ。

けれど、当時ヴォルフスブルクはDFラインの前にボランチが2人いるシステム（4-2-3-1）を採用していた。いわゆるダブルボランチだ。もしボランチ2人がずっとうしろに残っていたら、攻撃に厚みがでないのではないか。僕はそう疑問に思った。前にスペースがある場合、ボランチのどちらかひとりが積極的に攻撃参加した方が得点の確率を高められるはずだ。

僕はある日の練習後、監督に「ちょっと時間を作ってもらえませんか」と声をかけた。

スタジアム内にある監督室に行き、ホワイトボードの前で監督と向かい合った。

イングランド人のマクラーレンさんは2010年夏にヴォルフスブルクの監督に就任したばかりで、まだドイツ語は話せない。僕は英語で話を切り出した。

「監督の意見に賛成する部分もあります。ただ、ときには守備的MFが前に行くことも必要かな、と僕は感じました。監督はこの考えをどう思いますか？」

こうやって監督に意見を言うときに僕が意識しているのは、自分の考えが正しいと思ったとしても、決して「上から目線」にならないようにする、ということだ。監督が腹を立てたら、こちらの考えを聞いてもらえなくなるどころか、それこそ本当に干されてしまうかもしれない。決して相手をあげつらうためではなく、チームのために進言しているという思いを伝えなければいけない。

マクラーレン監督は僕の言っていることに理解を示してくれて、試合中に自分で判断して、臨機応変に攻撃することを認めてくれた。もちろん、まず優先しなければいけないのが守備であることに変わりはないけれど。

京セラ創業者の稲盛和夫さんが、こう言っているのを本で読んだことがある。

「判断に迷ったときは、人として正しいかどうかを考えるようにしている」

チームのために進言することは、「人として正しい」ことだと僕は思う。だから進言するかで迷ったときは、「自己保身のために言わないことの方こそ、正しくない行動のはずだ」と考える。

ワールドカップでも何か疑問があれば、岡田監督の部屋のドアを叩くようにしていた。監督にとっては耳が痛いこともあったかもしれないが、まったく怒らず、意見のひとつとして聞いてくれた。

将来、自分がチームを率いる立場になれるかは分からないが、そのときは選手からの進言に耳を傾けられる人間になりたい。組織が良くなる機会を頭ごなしに消してしまうのは、「正しくない」と思うから。

32

努力や我慢はひけらかさない。

努力や我慢は秘密にすべきだ。なぜなら、周囲からの尊敬や同情は自分の心の中に甘えを呼び込んでしまうから。

たとえば、大事な試合の前に足を痛めてしまったとしたら――。

監督はその選手がケガを負った状態でも（もちろん状態にもよるが）、チームに欠かせないと判断したなら先発メンバーに入れるだろう。選手はその信頼に応《こた》えるためにたとえ痛みがあったとしても、それを感じさせないようなプレーをしなきゃいけない。

しかし、試合前にケガをしていることをたとえばメディアの人たちに知られたら、絶対にミックスゾーンで「ケガの具合は？」と訊かれるだろう。親しい人たちからは「大丈夫？」と電話がかかってくるはずだ。

そういう同情や心配は心を乱す雑音になってしまう、というのが僕の考え方だ。

「痛いけど、頑張ります」と答えるのは、

『100％のプレーができないと思いますけど、許してくださいね』

と言い逃れをしているようだ。

自分が発する言葉というのは自分自身に語りかけているところがある。

口にした言葉は自分の耳を通じて、自分の心に届く。

だから、みんなの前で痛みを認めるのは自分自身で自分のなかに言い訳の「種」を植えつけるようなものだ。いざ試合が始まって、ギリギリの勝負をしているときに、その「種」がみるみる成長して、勇気をがんじがらめに縛りつけてしまう。そんな選手がピッチでいいプレーができるはずがない。

チームメイトにも、ケガをしていることは当然知られたくない。

「あいつは足を痛めている」とまわりに気を遣わせてしまうからだ。そういう余計な同情はまわりの判断を鈍らせて、足を引っ張ってしまう。練習でもガツガツ来られないだろうし。

サッカーというスポーツにケガはつきもので、プロであれば多かれ少なかれ、身体のどこかに故障を抱えていて、痛みと付き合っている。それなのに、自分だけが「痛みを我慢してプレーしていたんですよ」と言うのはズルいし、出場していない選手に失礼だとも思う。自分の実力をカムフラージュする言い訳でしかない。

努力に関しても同様だ。

もちろんすべての努力を隠すわけじゃなく、訊かれたら答えるけれど積極的に人には言わないようにしている。

「そんなに努力していて、すごいですね」

と褒《ほ》められると、これもまた言い訳の「種」ができてしまう。試合に向けてどんな準備をしてきたかは自分自身だけが分かっていればいい。

周囲からの尊敬や同情は、気がつかないうちに自分の中に甘えを作ってしまう。甘えができたら、楽な方に流れてしまう恐れがある。特に自分が追い込まれて、ぎりぎりの判断を迫られたときに。

だから、これは賛否両論《さんぴりょうろん》あると思うがケガについて僕は嘘をつくことがある。

「コンディションは問題ありません。いけます！」と。

第5章

脳に刻む。

33→35

33

読書は自分の考えを進化させてくれる。

試合に負けて気分が沈んでいるときも、逆に試合に勝って高揚《こうよう》しているときも本を読むと心が落ち着く。

負けたあとなら、乱れた気持ちを整えてくれる。

勝ったあとには、浮わついた気持ちを抑制してくれる。

本を読んでいるときはその世界に入り込みたいので、誰にも話しかけられたくない。自宅のソファに座って、音楽を消して読む。チームの移動中に本を読むときはそうはいかないので耳栓《みみせん》をするか、もしくはｉＰｏｄで読書の邪魔にならないようなリラックス系の音楽を聴いている。

幼少の頃から本に親しんできたわけではなかった。本を読み始めたのはプロになってから。きっかけは、とある先輩が移動中に本を読んでいる姿を見て、カッコいいなぁと思ったから……。プロサッカー選手というのは、長時間練習をするわけではないから、意外と空き時間が多い。そういう時間を有効活用するためにも、僕は本を読むようにしている。

浦和レッズ時代は東野圭吾《ひがしのけいご》さんや宮部《みやべ》みゆきさんといった人気作家の小説を読むことが多かった。ドイツに行ってからは哲学系の本が圧倒的に増えた。それはデール・カーネギーの『人を動かす』

という本に出会ってからだ。ドイツではひとりでいる時間が増えて、よりサッカーや人生のことを深く考えるようになったからというのも関係しているだろう。とはいえジャンルを限定してしまうと自分の幅まで狭めてしまうような気がするので、いまはいろいろなジャンルの本を読むようにしている。

ちなみに、ドイツではデュッセルドルフやハンブルクに行かないと、日本語の本は手に入らない。だから、いつも渡欧前の日本の空港でまとめ買いをする。機内持ち込みのスーツケースの半分くらいを本が占めてしまうこともある。

ただ、ワールドカップのときには空港でまとめ買いという思惑が外れてしまった。合宿地のスイスに向かうフライト時間が深夜で空港のお店が軒並み閉まっていたのだ！（当然ですが……）その時点で僕が持っていた本はたった3冊だけ。結局スイス合宿からワールドカップまでの約1ヵ月間、この3冊だけで過ごすことになってしまった。

そのうちの一冊が、『超訳　ニーチェの言葉』（ディスカヴァー21）だった。この厚い本をゆっくり読み込むことができたという意味では、逆に所有数が少なくて良かったかもしれない。

僕は本を読んでもその内容を鵜呑《うの》みにはしない。疑うわけではないけれど、まず自分の場合はどうだろうか、この意見に同調できるだろうかと考えてみるのだ。自分に通じると思うときもあれば、当然ながら違うと思うときもある。

また、読書は人前で発言する機会が多いプロサッカー選手にとって、言葉のセンスを磨くうえでも、大事かもしれない。

ワールドカップではゲームキャプテンを務めさせてもらい、アジアカップでもキャプテンを任され、僕はテレビカメラの前に立つ機会が増えた。また、試合前日には必ず監督とともに公式記者会見に出席し壇上に座った。基本的に会見で何を話すかは前もって考えていない。まず監督が横で話すので、その間に思いついたことをパッと言うのだ。言葉がメディアの方々の頭に入りやすいようになるべく短いフレーズを使うようにしている。

ワールドカップのグループリーグ突破がかかったデンマーク戦前日の記者会見で、僕はこう言った。

「明日は僕たちにとって人生を懸けた試合になる。引き分け狙《ねら》いで決勝トーナメントへ行くのではなく、勝ちに行きます」

この会見の直後、僕の携帯電話には友人や知人から「いいこと言ったねえ」というニュアンスのメールが何通も届いた。これはちょっと気恥ずかしかった。まさかこの会見が日本でも放映されているとは知らなかったのだ。

また、決勝トーナメント1回戦のパラグアイ戦後に、

「本当に熱い応援ありがとうございました。（日本の皆さんからの）応援が力になったので感謝しています。ほとんどの選手がJリーグでプレーしているので、Jリーグにも足を運んで盛り上げてもらいたいです」

と発言したときも、いろいろな人に「敗戦直後によく言った！」と褒《ほ》めてもらえた。あとで考えたら、ちょっと上から目線だったかなぁと反省する部分もあったけれど、そのときの想いを素直に言って良かった。もしかしたら読書を続けてきたことによって、昔よりもボキャブラリーや質問に対する瞬発力が上がっているのかもしれない。

名言を残そうなんて気はサラサラないけれど、注目度が高い僕たちの言葉がより多くの人の心に響けば、サッカーに興味を持ってもらうきっかけにもなる。

それに、いつか自分が監督になったときに読書で得た「言葉」は必ず役に立つはず。岡田監督などはよく言っていたが、ミーティングで偉人の名言やエピソードをスムーズに言うことができれば、選手やチームを鼓舞《こぶ》できると思う。

僕が『ニーチェの言葉』を読んでいたことがよほどインパクトが強かったのか、ワールドカップのあと、読書に関する取材がとても増えた。雑誌『スポーツ・グラフィック・ナンバー』もその一つで、「アスリートの本棚。」という特集で僕は表紙と巻頭ページに出させていただいた。人生初の『ナンバー』の表紙。そのときに「オールタイムベスト5」としてあげたのが次の5冊だ。

●『本田宗一郎　夢を力に　私の履歴書』（本田宗一郎著　日経ビジネス人文庫）

さすが時代を切り開いた起業家の自叙伝、いたるところに名言があふれている。僕がノートに書き写した文をひとつあげると、

「惚れて通えば　千里も一里」
好きなものは時間を超越する

自分にとって好きなものとはサッカーだ。言葉の響きがすごく良くて、もっともっとサッカーに打ち込もうと思える。

●『道をひらく』（松下幸之助著　PHP研究所）

世界の舞台で勝負するという意味で、とても勇気づけられた。「日本のために」という言葉が何度も出てきて、日本代表でプレーさせてもらっている自分としては胸に響くものがあった。

●『悩む力』（姜尚中著　集英社新書）

僕は人から「真面目《まじめ》だな」とからかわれることが多くて、「それの何が悪い！」と思いつつも、「確かにそうかも」と気にしている部分があった。そんなときにこの本を読んだら、最近の日本では馬鹿にされがちな真面目さをむしろ褒めて肯定していた。そういう見方をする人もいるのかと背中を押された。

●『人間失格』（太宰治著　新潮文庫）

自分にとって反面教師的な意味ですごく好きな作品だ。物語の途中にこんな一文が出てくる。

ゆくてを塞《ふさ》ぐ邪魔な石を
蟾蜍《ひきがえる》は廻って通る。

ひきがえるは目の前に大きな石があると飛ばないで避けて通るそうだ。自分に置き換えて考えて見ると、これまで目の前に大きな壁があったときに、避けて通ったことがあったように思う。もし次に大きな岩に出会ったら、横に迂回《うかい》するのではなくて、登って越えられるような人間になりたい。自分に「逃げるな！」と言い聞かせる意味でこの本も繰り返し読むようにしている。

●『アインシュタインは語る』（アリス・カラプリス編　大月書店）

100年にひとりの大天才も、普通の人間と同じように悩みや弱さを抱えていたということを教えてくれた。ならば平凡な自分が悩んだり迷ったりするのは当たり前！　と開き直れる。

また、最近読んだ本で心に染《し》みたのは、『幸せを呼ぶ孤独力』（斎藤茂太著／青萠堂）だ。積極的に孤独になろう、と呼びかける本ですごく共感した。こんな一文が出てくる。

日本人は古来、「和をもって貴《とうと》しとなす」を美徳としてきたせいか、どうも周囲に迎合《げいごう》しようとしがちです。それでは、せっかくの個性も埋もれてしまいます。ときには孤立をも恐れず、「みんなに反対されてもいい。自分の意見を言おう」（略）

周りの人と違う自分を恐れるなかれ。自分は世界にたった一人しかいないと腹を括《くく》って、つまり「孤独力」をもって自分をみつめてごらんなさい。そうすれば必ず、自分の心にある宝石に気づきます。

僕はひとりの時間を大切にしている。孤独を勧める斎藤茂太さんの本は、まさに自分の気持ちを代弁してくれている。

先人の知恵や同世代を生きる人の言葉からヒントを得る。それを自分に当てはめて自分の考えを掘り下げてみる。僕にとって読書は心を落ち着かせてくれると同時に、自分の考えを進化させてくれるものである。

34

読書ノートをつける。

僕はすごく忘れっぽい。本を読んでいてせっかく「いいなぁ」と思う文に出会っても2、3日経つと忘れてしまう。だから印象に残った文は読み終わったら、すぐにノートに書き写すようにしている。

使うのは普通の大学ノートで好きなフレーズを書き写す。それに加えて、自分が何を感じ、何を考えたかも一緒に書き込むようにしている。一字一句正確に抜き出すことには、あまり気を遣《つか》っていない。そのときのファーストインプレッションを大切にして、言葉を短くしたり、自分なりの言い方に変えたり、「あとで見返したときに、いかに読みやすいか」を意識して書く。だから、抜粋《ばっすい》した文がオリジナルと一字一句同じではないことを、ご了承いただきたい。

では、以下、僕がノートに書き込んだものの一部だ。

〈とにかく思い立ったら今始める。〉

『勝間和代のインディペンデントな生き方　実践ガイド』(勝間和代著　ディスカヴァー携書)より。

誰もが分かっていることかもしれないけれど、いざ実行しようと思うと難しい。だから「今」という文字に傍点がつけられているんだと思う。サッカー選手が、思い立って始められることには、食生活の管理、語学の勉強、引退後に備えた準備などがある。まだ現役バリバリでやっているときから、引退後のことを考えるのは本当に難しいけれど、どんな選手にもいつか必ずそのときが訪れる。目を背《そむ》けず、ちゃんと準備しておくべきだ。

ちなみに僕がドイツに来てから思い立って始めたのが、「監督ノート」をつけることだ。次の項で詳しく触れたいと思う。

〈物事の本質を見極める力をつける。〉

『偽善エコロジー――「環境生活」が地球を破壊する』(武田邦彦著　幻冬舎新書)より。

この本のなかで環境のためにやっているようなことでも、実際に数値を計算してみるとむしろ悪影響を与えていることがある、ということを指摘していた。世の中で常識とされていることを鵜呑みにせず、「物事の本質を見極める力をつける」ことが大切だと。

これはサッカーにも、通じるものがある。たとえば日本代表がスター選手ぞろいのチームと試合をすることになったら、「日本は不利」と言われるだろう。けれど実際にはスター同士が仲たがいしているかもしれないし、モチベーションが上がらず、コンディションが悪いことだってありうる。ワールドカップで対戦したカメルーンは有名選手がたくさんいたけれど、チームとしてまとまっていない印象を受けた。先入観や情報にまどわされず、本質を見抜くことがサッカーでもとても大事だ。

〈知らなければ、知らないで別に良い。知らないから、一から調べようとする。中途半端に知っていると、それにとらわれて変な結論を導き出してしまう恐れがある。〉

〈人は一人じゃ生きていけない事を知っているからこそ、一人になって、相手の事を考えたりする時間が欲しいのかも。〉

ともに『深夜特急』（沢木耕太郎著　新潮文庫）より。

インドのデリーからイギリスのロンドンまでバスだけで旅するノンフィクションだ。「外国で日本人がひとりですごす」という設定が、自分が置かれている立場にすごく近くて共感する部分が多かった。旅の終わりに沢木さんは「人間はひとりでは生きられない」ということに気がつく。そのとおりだと思う。ドイツでプレーするのはひとり旅に似ている。会いたい人に会えない。孤独な日々が続く。けれど、そんなときにこそ相手に想いを巡《めぐ》らせれば、普段見えていなかったことに気がつける。少なくとも僕はそう思っている。

〈どんなに沢山の事を考え、長い間準備をしたとしても、その場面になってどう判断するかが大事。人生とは生き物だから。常に状況は変わるから。〉

『「心の掃除」の上手い人　下手な人』（斎藤茂太著　集英社文庫）より。

この本は僕のいま一番お気に入りの本だ。いいなぁと思ったフレーズがあったページのかどをどんどん折っていったら、本の半分以上になってしまった。それくらい共感できる。読書ノートに「一年に一度は読み返す本！」と書いてもいる。

「人生とは生き物だから」という表現が好きだ。同じようにサッカーも生き物だし、試合の中で状況が刻々《こくこく》と変わっていく。そのなかでどう判断して、どう対応するかが最も大事で、当然万全の準備はするけれど、それにとらわれすぎてはいけない。こっちが準備しているって分かったら、相手はやり方を変えてくる。そうしたら、こっちも変える。その駆け引きが勝負を分けるからだ。

人生も、日々の生活も、サッカーも、すべて「生き物」で正解はそのつど違うということを、僕は意識するようにしている。

〈何か間違いをしたと思えば、すぐに謝罪をして、誠意を持って対応し、失点をすぐに食い止めた。限られた戦いの中で失敗や危機は必ず来るから、その時の対応は非を認め、できるだけ早く直す事。by オバマ〉

『オバマのすごさ——やるべきことは全てやる!』(岸本裕紀子著 PHP新書)より。

第44代米国大統領のバラク・オバマさんに関する本が好きだ。刻々と状況が変わるなかで、瞬時に適切な判断をしなければいけないことが、政治とサッカーでは似ている気がする。「すぐに謝罪をする」のはサッカーの試合でも大切だ。自分のミスで失点してしまったら、チームメイトにすぐに謝る。そうすることで、まわりだけでなく自分もミスを引きずらなくてすむ。

〈情報もお金と同じ。持っていて損はないけど、時に振り回される事もある〉

何かの雑誌でのミスターチルドレン・桜井和寿《さくらいかずとし》さんのインタビューより。

情報と一口に言ってもいろいろあるけれど、この文を読んで僕の頭にパッと浮かんだのは、「人間関係」についてだった。人についての情報ほど怖いものはないと思う。たとえば噂《うわさ》で「あの選手は私生活がダメでどうしようもないヤツだ」と聞かされていたのに、実際に会って話してみたら、すごく真面目だったりする。もし情報を鵜呑みにしてその選手を避けていたら、とても失礼なことだし、自分にとっても損になる。桜井さんはそういうことを言っているのかなと思った。

こういう印象に残った本を定期的に読み返すこともできるけれど、それればかりだと新しく手に入れた本を読む時間がなくなってしまう。そこでノートに気に入ったフレーズだけを抜き出して書いておけば、時間を節約できるし、持ち運びも便利なので遠征にも持って行ける。「読書ノート」で、心の点検。僕の日課のひとつだ。

35 監督の手法を記録する。

時折、セカンドキャリアについて考える。毎年、新たに加入してくる選手もいれば、出て行く選手もいる。そして引退を決断する選手もいる。当然ながら僕にもそのときがくる。

僕には明確なビジョンがある。

引退したら、いつかサッカーチームの監督をやりたいと思っているのだ。

「考えは常に変わっていくもの」というのが僕のモットーのひとつなので、いざ引退してみたら他の目標ができているかもしれないけれど、今はサッカーチームを率いることにとても興味がある。

その準備の一環《いっかん》として、2年前から「監督ノート」をつけ始めている。自分が出会った監督が、どのようにして、チームをマネージメントしているかを記録するのだ。また、他の選手から聞いた他の監督の練習方法や本やテレビなどで見たサッカー以外のスポーツの練習方法でも、これは使えそうだというものは記録するようにしている。

他にも着目すべき点は多い。シーズン前の合宿ではどのようにしてチームの組織を構築《こうちく》するのか。遅刻したときの罰金の額や携帯電話やゲームなどの使用制限、それに、ＧＭ（ゼネラルマネージャー）との関係の作り方や、スポンサーへの対応。ファンやマスコミとの距離感もそれぞれ違う。

どんなスタッフを、チームにそろえるのかも鍵になる。最近、ドイツではメンタルトレーナーを採用するチームが増えてきた。ヴォルフスブルクにはまだメンタルトレーナーがいないけれど、ドイツ代表の柔道選手やラグビー選手が臨時コーチとして来たこともある。他のスポーツのエッセンスを学ぶと同時に、選手のリフレッシュも兼ねているのだと思う。

シーズンが始まったら試合に向けてどのような練習をするのか。練習の時間配分なども大事だ。覚えづらい練習は簡単なイラストや図を描いて、練習メニューをノートにメモしていく。会見で話す言葉、着ている服、ミーティングの手法、チームの盛り上げかた、などピッチ以外での振舞《ふるま》いもなるべく見るようにしている。

また、ヨーロッパの場合、チームには異なる国籍の選手が大勢いるので言葉の通じない選手と、どうコミュニケーションを取るかも大切なポイントだ。マガト監督の場合、通訳がクラブハウスや練習場に立ち入ることを基本的に禁止していた。部外者をなかに入れて、緊張感が損なわれるのを防ぐためだろう。ドイツ語ができない選手はミーティングが終わったら、英語やスペイン語ができるチームメイトに「何て言っていた？」と訊《き》くことになる。僕の場合、カタコトのドイツ語と英語をミックスして何とか内容を理解しようとしていた。ただし、さすがに限界があるので監督と個人面談があるときは、通訳を介して話をした。

あと、これは真司（香川）から聞いた話だけれど、ドルトムントでは通訳が常に付き添《そ》ってくれるそうだ。通訳はスタッフと同じジャージを着て、練習場の中にも入って、監督の指示をほぼすべて同時通訳する。一般的に「通訳を入れるのは甘えている」と思われるかもしれないが、一番大事なことは監督が言っていることを理解することだから、僕はありだと思う。真司の活躍ぶりを見るとそういうスタイルも日本人選手には合っているのだろう。

ヴォルフスブルクに加入してから現在まで、約3年の間に僕はマガト監督、フェー監督、ケストナー代行監督、マクラーレン監督、リトバルスキー監督のもとでプレーしてきた。それぞれ練習法はもちろん、マネージメントの仕方も異なっていた。

マガト監督は、細かくルールを作り、それに従うことを求めるタイプだった。

たとえば、クラブハウスへの新聞の持ち込みは一切禁止。メディアの雑音を排除するためだ。遅刻したら容赦《ようしゃ》なく、練習にたった5分遅れた選手に約100万円の罰金を課そうとしたこともあったくらいだ。さすがにチームメイトが気の毒に思い、マガト監督に交渉して金額を10分の1まで下げてもらった。

ちなみに僕もマガト監督に猛烈な勢いで怒られたことがある。

移籍して間もない頃、僕は〝固定式〟のスパイクで試合に出場し、前半、芝生に何度も足を取られてしまった。ハーフタイムにマガト監督は激怒《げきど》し、「こんなスパイクを履くから悪いんだ！」と、僕のスパイクを手にし、ロッカールームの壁に投げつけてしまった。確かに滑りやすいときは裏の突起が金属になっている〝取替え式〟のスパイクを履いた方がいいから、完全に僕の選択ミスだった。

マガト監督が面白いのは、ホーム試合の前日夜に必ずみんなで映画を観に行くことだ。監督なりに選手をリラックスさせようとしているのかもしれない。ただ、マガト監督はいつも「食事には気を遣え！」と言っているのに、その監督自身が山盛りのポップコーンをほお張りながら、映画を観ている。それを見たときは、「話が違うでしょ！」と突っ込みたくなったけれど、映画のときは選手も大盛りのポップコーンにコーラをがぶ飲みしていても注意されなかった。僕はコーラは飲まなかったけれど、なぜ映画のときだけは許されたのか、いまだに謎だ。

フェー監督は温厚で紳士的なタイプであまり口やかましく言わない。ロッカールームで新聞を読むのも自由だし、大声で怒鳴ることもなかった。しかし、マガト監督とのギャップがあまりにもありすぎ、選手たちの緊張感が緩んでしまったのか、結果がともなわず就任から約7ヵ月で解任されてしまった。監督もある程度、流れというのが必要なのかもしれないと、このときに学んだ。

イングランド人のマクラーレン監督は練習中ずっと声を出しているのが特徴で、チームの一体感を大切にする指揮官だった。

2部練習のとき、ドイツでは午前練習のあとは、お昼に一旦自宅に帰るのを認めるのが一般的だ。だがマクラーレン監督の場合、クラブハウスでみんな一緒にランチを食べて、帰宅することは許されなかった。朝から夕方まで、ずっとみんなで行動。イングランドではこれが一般的らしい。これは個人的にはちょっとつらかった。一旦帰って、リフレッシュしたいからだ。

このなかで最も僕の価値観を大きく揺さぶったのは、やはりマガト監督だ。

マガト監督は試合に負けると、翌週の練習をめちゃくちゃきつくする。今思い出しても吐きそうになるくらい、練習がハードになった。当然、選手たちにはフラストレーションが溜《た》まる。「マガトがチームに残るならオレは移籍するぞ!」と言う選手がいたくらいだ。だが、その怒りがエネルギーに換わり試合に勝てるのだから、不思議だった。あんなに勝負にこだわって、嫌われ役になれる監督は見たことがない。

将来的にJリーグのクラブを率いるためには、日本サッカー協会が主催している指導者養成講座でS級ライセンスを取得しなければいけない。もちろん僕も取るつもりだ。ただ、そこで知識を学んだとしても、やはり核になるのは自分の経験を通して得たものだと思う。

監督をこまめに観察するようになって、監督の大変さをひしひしと感じている。監督というのはこれほどまでに孤独な立場なのか、とも思った。監督をサポートできる選手、監督の期待に応《こた》えられる選手でありたいという想いがより強くなったかもしれない。

そういえば、田嶋幸三《たしまこうぞう》さん（日本サッカー協会副会長）から、「ドイツで指導者の資格を取って、ドイツで監督をやったらどう？」と言われたことがあった。確かにそれはそれで面白いかもしれない。

第6章

時間を支配する。

36→40

36

夜の時間をマネージメントする。

僕は電気をつけたまま寝たことがない。本を読みながら、テレビを見ながら、ゴロンと横になって、いつのまにか寝ていたということがない。これを言うといつも驚かれるが本当だ。

一日が終わって、家に帰ると誘惑がたくさんある。特にひとり暮らしであれば他人の目がないから、いくらでも自由にできる。夜更かしして小説を読んだり、日本で録画してもらったお笑い番組を観たり、ゲームをしたり。だらだらしようと思えばいくらでもできる。別の章でも書いたが、カズさん（三浦知良）は会食していても、自分が決めた時間には切り上げるし、それは事務所の先輩、俊さん（中村俊輔）などもそうだと聞く。

よく取材などで、

「大一番で力を発揮するためにどうすればいい？」

と聞かれるが、僕はそのときに「平穏に夜を過ごし、睡眠をしっかり取る」と答える。

寝るという行為は意外と難しい。目をつむっても思い通りに寝つけないことも多々ある。だからこそ、普段から「いい睡眠」を取るために夜の時間を自分自身でマネージメントできているかが鍵になる。

特にワールドカップのような4年に一度の大舞台になると、緊張や興奮もいつも以上のものになる。正直、僕も大会期間中にきちんと寝られるか不安はあった。大丈夫だとは思っていても、いざ試合前日になると寝られないという可能性もゼロではないからだ。

だから僕は「寝るまでの1時間」の使い方に徹底的にこだわった。「いい睡眠」に自分を持っていく行動パターンができていれば、大一番の前日も自然と眠れるはずだと考えたからだ。ワールドカップのとき、僕が「寝るまでの1時間」をどう過ごしていたか、順番に書いてみたいと思う。

①リラクゼーション音楽を流す。

寝る1時間前になったら、パソコンのiTunesに入れておいたリラクゼーション用の音楽を流す。僕が気に入っているのが『深き眠りへ…』というCDで、波の音や川の流れの音とともに癒《いや》し系の音楽が流れるというもの。部屋の中にゆったりとした雰囲気を作ることができる。

②お香を焚《た》く。

クンバ社の「ハッピー」という種類のお香に火をつけ、香りを部屋の中にくゆらせる。普段ドイツの自宅にいるときにも愛用しているもので、和のテイストを保ちつつ、バニラのような甘さがミックスされたお香だ。この香りをかぐと気持ちが少しずつ鎮《しず》まっていくような感覚になる。

③高濃度酸素を吸う。

ワールドカップ期間中、岡田監督は選手に対して、「寝る前にできれば高酸素吸入器を約30分つけるように」と指示していた。朝、昼、晩の一日3回の吸引が義務づけられていて、高濃度の酸素を吸うことで回復力をアップさせるのが狙《ねら》いだった。

④特製ドリンクを飲む。

夜食がわりに飲んでいたのがビタミンC、ビタミンE、ルテインなどを水に混ぜて作る「長谷部家特製ドリンク」だ。甘さがないので決しておいしくはないけれど、2、3歳からほぼ毎日飲み続けているので、ほっとする味だ。

⑤アロマオイルを首筋につける。

就寝直前にはニールズヤード レメディーズ社の「ナイトタイム」というアロマオイルを首筋につける。サンフラワー油にカモミールローマン、ネロリなどの精油やローズ油がブレンドされていて、ほのかに甘く、それでいて森の中にいるような爽《さわ》やかな香りがする。

⑥耳栓《みみせん》をする。

仕上げは耳栓。普段所属するヴォルフスブルクでは試合前日のホテルはひとり部屋ではなく、チームメイトとの相部屋だ。なかにはいびきがうるさい選手もいるし、夜更かしをする選手もいる。そこで僕は、前泊のときは耳栓をして寝るようになった。それがいつの間にかひとり部屋や自宅でも耳栓をして寝るようになった。

南アフリカでは、だいたい夜9時くらいから寝る準備を始め、10時にベッドに入るようにしていた。大会中は寝つけないことが一度もなかった。自分でも不思議なくらいに快眠でき、毎日10～11時間は寝ていた。

睡眠は普段からのリズムが大切で、大一番の前日に急に「いい睡眠をしよう」と思ってもうまくいかない。勝負所で結果を出すためには、日々のリズムを普段からどれだけ整えられるかにかかっている。

37 時差ボケは防げる。

日本代表の試合で帰国する。日本に帰って、ちょっと動きが悪いと「身体が重い。時差の影響か？」と聞かれるし、報道される。だからヨーロッパでプレーする日本代表選手にとって、「時差調整」は永遠の課題だ。時差は夏なら7時間、冬なら8時間ある。ちょうど日本で夕飯を食べているときに、ヨーロッパではまだランチを食べている、と言えば想像しやすいだろうか。

時差ボケのせいで早朝に目が覚めてしまうこともあれば、内臓時計が狂ってなかなかお腹《なか》がすかないなんてこともある。そうなると自分が持っている力を100％出すのは難しくなる。実際、自分も時差ボケが原因で動きが重くなってしまったことがあった。

時差を嘆いても仕方がない。僕には自己流の時差対策がある。それは就寝時間を帰国の約1週間前からちょっとずつ早める、という方法だ。

いつも僕は夜12時くらいに就寝しているので、まず6日前は11時45分にベッドに入る。続いて5日前は11時半、4日前は11時15分、3日前は11時……という感じで寝る時間を早めていく。こうすればトータルで1時間半くらい、無理がない形で時差を縮めることができる。たかが1時間半と思われるかもしれないが、こういう小さな積み重ねが大事なのだ。さらに夕飯を食べる時間もいつもより早めに設定する。夜7時に食べていたのを6時半にしたり、帰国前日には夕方5時に夕飯を食べるなんてこともある。

このやり方を実践するようになってから、代表の試合のために帰国してもほとんど時差ボケを感じなくなった。

僕はヨーロッパを主戦場とするプロのサッカー選手だ。時差ボケを言い訳にしたくないし、言い訳にならないとも思う。きちんとしたパフォーマンスを発揮できると思っているからこそ、ヨーロッパから帰ってきている。時差対策も仕事のひとつ。ちょっとした工夫で不安要素をとりのぞけるようであれば、それは実践すべきなのである。

38

遅刻が努力を無駄にする。

子どものときから現在まで、サッカーに関しては僕だけの集合時間がある。常に1時間前に着くようにしているのだ。たとえば、「15時集合」だったら14時に着くように家を出ていた。

なぜ、そんなことを始めたのか自分でもよく覚えていないけれど、おそらく単純にサッカーが好きで、誰よりもボールを触っていたかったからだと思う。練習の後だと遅くなって帰らなければならないから……。

高校時代はあまり早く家を出ると親が心配すると思ったので、嘘《うそ》をついて、サッカー部の正式な集合時間の「1時間前」を集合時間として伝えていた。しかし、あるとき母が同級生の父母と話しているときに、僕が言う時間と他の人が言う時間が合わないことに気がついてしまった。嘘がばれたのだ。まあ、悪いことをしていたわけではないし、きっちりした性格は母親譲《ゆず》りなので、母は苦笑いしただけで何も怒らなかったけれど。

1時間前に部室に到着すると、僕はまずカバンから練習着とスパイクを取り出し、長イスの上に並べていく。自分の脱いだ服をきれいにたたみ、ゆっくり着替えていく。部室は決して広くないけれど、自分しかいないので何をするにしてもスペースは十分だ。誰に気遣《きづか》うこともなくストレッチをして身体をほぐす。このとき前日までの課題を頭の中で整理して、今日はこんなところに取り組んでみようとポイントを絞《しぼ》る。ひとりだけの贅沢《ぜいたく》な時間。練習という限られた時間を無駄にしないために、僕にはこういう自分なりの心と身体を準備する時間が必要なのだ。

ゴルフをしている人から聞いたことがあるのだけれど、ゴルフというのは朝が早い。前日、遅くまで飲んで、朝ぎりぎりまで寝て、あわてて出掛けていくと最初のホールのティーショットはまず失敗するのだそうだ。ゴルフは特に最初が肝心で、心がザワザワしたままだと満足したティーショットは打てないし、「今日は調子が悪い」と思い込んでしまい、その日一日スコアがまとめられなかったりする。そういう話を聞くと僕の方針もあながち間違っていないんだと思う。

当然ながら遅刻もしない。

サッカー部だけでなく学校生活でも、病院に行くといった特別な理由がない限り、遅刻をしたことは一度もなかった。プロになってからも遅刻はゼロ。誰かとの約束でも遅れることはない。

遅刻というのは、まわりにとっても、自分にとっても何もプラスを生み出さない。まず、遅刻というのは相手の時間を奪うことにつながる。20人で集まるとする。そこに僕が5分遅れたら、5分×20人で100分待たせることになる。それに「彼は遅れるから、集合時間を（あらかじめ）早く設定しよう」ということにもなりかねない。そんな駆け引きはすごく不毛だ。だから僕は遅刻をする人を信頼できない。

練習中に声を出して、真面目《まじめ》に取り組んでいる選手がいても、一度でも遅刻したら、「あいつの意気込みは、その程度のものだったのか」と、信頼のレベルは落ちるだろう。積み上げてきたものが、たったひとつのミスで無駄になる。

雑誌の記事によると、レアル・マドリードのジョゼ・モウリーニョ監督は遅刻にすごく厳しい監督で、シーズン前の合宿である選手が寝坊したとき、バスに乗せず練習に参加させなかったそうだ。インテル・ミラノの監督時代には、遅刻した選手を自宅に追い返したこともあった。さらに、たとえ時間を守ったとしても、寝ぼけた状態で練習場に来ることも許さない。彼が2度もチャンピオンズリーグの優勝監督（2004年にFCポルト、'10年にインテル・ミラノ）になれたのは、こういう厳格な規律と無縁ではないだろう。

時間に遅れるのはどこかに甘さがあり、本気で取り組んでいないという証拠だ。きつい言い方をすれば、まわりに対する尊敬の念が薄いと思われても仕方ない。

また、そういう準備不足の人間がひとりでもいると組織の士気にも悪影響を及ぼす。ドイツには、「箱の中に腐ったリンゴがひとつでもあると、全部が腐ってしまう」ということわざがある。腐るとまでは言わないが、ひとりでも遅刻する人間がいると、組織としての集中力に雑音が生じると思う。

逆に時間より早く来て、すでに100％の状態で準備している人間がいたら、他の人たちも「怠けていられない」と気が引き締《し》まるはずだ。時間前に余裕を持って行くのはあくまで自分のためだが、組織にポジティブな空気を生むことにもつながる。

普段の頑張りを無駄にしないためにも、時間については絶対にルーズにならない方がいい。これからも僕は、時間に正確に、そして自分だけの集合時間を守り続ける。

39

音楽の力を活用する。

音楽には不思議な力がある。メロディや歌声も大事だが、僕は歌詞をしっかり捉《とら》えながら聴く。ひとつの曲でも、あるときは心を鎮めてくれたかと思えば、あるときは心を奮い立たせてくれる。歌詞もメロディも同じはずなのに、聴く状況が異なると感じることも全然違うのだ。

試合の日、バスで会場に向かうときに僕が聴いているのは「ミスターチルドレン」だ。


ワールドカップ期間中の朝、僕には儀式があった。

まず起きたらバナナを食べる。朝食はこれでOK。あまり満腹にしてしまうと身体が動かなくなる。物足りないときは食堂に行ってフルーツを少し食べた。

次にシャワーを浴びて、身支度を整える。そして集合時間の10分前になったら、いよいよミスチルの出番だ。DVDをベッドの上に置いたプレイヤーにセットし、じっと立ったまま画面を見つめる。そのDVDには2007年9月に日産スタジアムで行なわれたライブが収録されている。

実は僕も観客のひとりとしてその場にいた。DVDの映像が呼び水になり、当時の記憶が生々しく浮かび上がってくる。このライブで最も好きなのがボーカルの桜井さんがマイクを客席の方に向けて、約7万人の観客が『イノセントワールド』を大合唱する場面だ。

当時、僕はあと一歩のところでイタリアへの移籍が実現せず、モヤモヤとした気持ちを抱えていた。イタリアのあるクラブが熱心に誘ってくれたが、浦和レッズが「アジアチャンピオンズリーグ優勝のためには君が必要だ」と言って移籍を認めてくれなかったのだ。レッズがそれほどまでに高く評価してくれたのは嬉しかったが、欧州に挑戦したいという「想い」と育ててくれたチームに迷惑をかけられないという「現実」の間で心が揺れ動き、自分が進むべき道を見失いかけていた。

そんなとき、7万人の大合唱が勇気をくれた。

物憂げな　6月の雨に　打たれて
愛に満ちた　季節を想って　歌うよ
知らぬ間に忘れてた　笑顔など見せて
虹の彼方へ放つのさ　揺れる想いを

『イノセントワールド』は23歳のときの葛藤《かっとう》とハングリー精神を思い出させてくれる。映像を観終わると、ミスチルのメンバー4人と7万人の観客から元気をもらったような気分になる。
「よし、今日もやるぞ」。そう気持ちを入れて、僕は部屋を出ていった。

移動のバスの中でもミスチルは不可欠。ワールドカップ期間中、僕はバスに乗っている時間をとても大切にしていた。

準備は、試合前日から始まる。スタジアムに公式練習に行くとき、窓の外を注意深く眺めて、「あそこにショッピングモールがあるぞ」とか「教会がある」とか、スタジアムに到着する約7分前の地点をあらかじめチェックしておく。

試合当日には、その7分前の地点をバスが通過したときに、ミスチルの『終わりなき旅』を流し始める。この曲は約7分間。そう、ちょうど『終わりなき旅』が終わった頃にバスがスタジアムに到着するように計算するのだ。もしバスが少し早く着いてしまっても、曲を聴き終えるまで、バスから降りない。

難しく考え出すと　結局全てが嫌になって
そっとそっと　逃げ出したくなるけど
高ければ高い壁の方が　登った時気持ちいいもんな
まだ限界だなんて認めちゃいないさ

この歌詞が一番好きだ。曲を聴き終えてバスから降りたら、もう試合にのみ集中する。

もちろん他のアーティストをまったく聴かないわけではなく、ゆずの『虹』や『栄光の架橋』、湘南乃風の『応援歌』も、試合前のロッカールームでよく聴く曲だ。

僕のそばには常に音楽がある。心を整え、奮い立たせてくれる音楽とともに、これからも戦っていく。

長谷部 誠による、ミスターチルドレン BEST 15

以前にブログでもランキングを発表させていただいたのですが、最新ミスチルランキングをお届けします。常に変動しますが、現状の僕のオススメトップ15曲です。悩みに悩みまくりました……。

15位 「GIFT」

NHKの北京五輪テーマソングになった曲。歌詞に「金メダル」という言葉は出てこないんだけれど、「自分にとっての金メダルを獲《と》れ」というメッセージが込められている、と僕は感じた。この曲で↘好きなのは、周囲がどうこうというより、結局は自分自身が大事だというところ。

——アルバム『SUPERMARKET FANTASY』に収録

14位 「口がすべって」

まさにこれは、自分のことを言われているような歌。

『口がすべって君を怒らせた
でも間違ってないから謝りたくなかった
分かってる　それが悪いとこ
それが僕の悪いとこ』

女性に対して僕はすごく頑固で、自分が悪いと思っていてもなかなか謝れない。それが欠点だってわかっているのに、いざ女性を目の前にすると謝ることができない。サッカーのことなら、もっと素直になれるのに……。

それに世界平和についても歌われていて、いろんな人と人とのつながりも曲の中につまっている。やっぱりミスチルの曲は奥が深い。

——アルバム『SUPERMARKET FANTASY』に収録

13位 「OVER」

高校生の頃によく聴いていた曲で、単純にメロディとテンポが好き。当時のことを思い出させてくれて、ノスタルジックな気持ちにさせてくれる。

——アルバム『Atomic Heart』に収録

12位 「ロックンロール」

独身男性の歌で、最近特に自分のことを歌われているように感じる。

『空想にふけって一日が終わる
もし違う生き方を選んでいたら……って。
奔放に生きて　指図などさせない
さすらう風に吹かれて
流れに逆らって』

『結婚などしないで孤独を愛する
後先など考えない
馬鹿と呼ばれる』

自分は結婚をしないで、好きなサッカーをやっている。もしかしたらピッチの中だけを見たらわからないかもしれないけど、「奔放に生きて、指図などさせない」という考えがどこかにある。聴きながら胸が痛くなるけれど、聴くのを止められない。

他には、『酒に女に溺れて死んでいく』というフレーズも好きだ。これは僕が大好きな太宰治の『人間失格』にも通じるところがあるんだけれど、自分の中に「堕落《だらく》していく」ことにどこか憧《あこが》れている部分がある。そういう好奇心……いや恐怖心をも感じる一曲。

——アルバム『SUPERMARKET FANTASY』に収録

11位 「つよがり」

好みの女性のタイプをあえて言うなら、強がりな女性。まさにこの曲は、そういう女性を歌っている。

だから、強がってる女性とカラオケに行くと、この曲を歌いたくなっちゃう（笑）。

——アルバム『Q』に収録

10位

「星になれたら」

浦和レッズからドイツのヴォルフスブルクに移籍するとき、サポーターをはじめクラブにかかわる人すべてに贈りたかった曲だ。

『この街を出て行く事に
決めたのは　いつか　君と
話した夢の　続きが今も
捨て切れないから』

『こっそり出てゆくよ
だけど負け犬じゃない
もう　キャンセルもできない』

あのとき自分は、こっそり出て行ってしまったからね……。当時はこの曲で自分の思いを伝えたい部分があったけれど、それは言えなかった。自分から出て行くのに、それをあのとき口にするのは無責任だと思ったから。

――アルバム『Kind of Love』に収録

9位

「365日」

イチローさんが出演していたNTT東日本のCMソング。野球をやっている少年が父親に問いかけるというCMで、そのやりとりが曲のメロディとともにすごく心に残っている。

少年「イチローっていつも何やってるのかな」

父親「普通のことをちゃんとやってるんじゃないかな」

365日、普通のことを続ける大切さ。僕が常に心がけていることを再確認させてくれる曲だ。

――アルバム『SENSE』に収録

8位

「くるみ」

東京ドームのライブでの桜井さんのワンマンショーがとにかく衝撃的で、この曲を聴くとあのときの映像が頭の中に甦《よみがえ》ってくる。たとえ何か傷つくことがあっても、このときのライブDVDを流せば、また次の一歩を踏み出そうという力がわいてくる。

――アルバム『シフクノオト』に収録

7位 「Sign」

毎日、毎週、同じことの繰り返しだと退屈に感じてしまうこともあると思う。でも、そんな日常の中にも小さな幸せはいくらでもあるんだよ、気づいていないだけなんだよ、ということを歌っている。

『僅かだって明かりが心に灯るなら
大切にしなきゃ　と僕らは誓った
めぐり逢った　すべてのものから送られるサイン
もう　何ひとつ見逃さない
そうやって暮らしてゆこう』

感謝する気持ちや大切さを思い起こさせてくれる。

――アルバム『I ♥ U』に収録

6位 「口笛」

2007年の「Home Tour」のライブに行き、約7万人が一緒に歌ったのをすごく覚えている。あらためてDVDで観ると、これがみんないい顔をしているんだ。泣いている人もいれば、すごい笑顔で歌っている人もいる。曲を聴くというより、DVDでライブ映像を観ると幸せになれる。リビングにいて、ゆっくりしているときに流すことが多い。

――アルバム『Q』に収録

5位 「innocent world」

ミスチル最初のヒット曲という意味でも思い出深いし、「innocent」という言葉が好き。無邪気な、天《てん》真爛漫《しんらんまん》な、純潔な、という意味だけれど、人間は生まれてきたときから無欲でいることはほぼ不可能で、赤ちゃんだって何かをしたいから泣いたりする。僕は無欲になることが目標のひとつで、少しでも無欲に近づきたい。ただ、それは無理なことと分かっているから、この曲にひかれるのかなとも思う。

――アルバム『1／42』に収録

4位

「CANDY」

僕の友達に、相手の親の事情で付き合っていた彼女と別れなければならなかった人がいる。彼はずっと別れた女性のことを引きずっていて、いまだに忘れられていない。「CANDY」はまさにその友達のことを歌ったような曲で、だから僕はこの曲が入ったアルバムをその友達にプレゼントした。

友達の胸の中には、いまだにキャンディーが入ったままになっている。彼の一途《いちず》な想いを思い起こさせられる曲だ。

——アルバム『I♥U』に収録

3位

「Simple」

結婚式でよく歌われる曲。ただ、僕の場合、相手をサッカーに置き換えて聴いている。10年先も20年先もサッカーとともに生きていきたいという意味を込めて。

——アルバム『DISCOVERY』に収録

2位

「彩り」

プロサッカー選手は華やかな舞台にいるように思われるかもしれないが、毎週同じようなトレーニングをして、試合に刺激を感じられなくなってしまうときもある。自分で意識して色を入れていかないと、モノクロの世界になってしまう。だから僕は常に環境を変えることを考えているし、挑戦を忘れないようにしている。それを再認識させてくれる曲だ。

——アルバム『HOME』に収録

1位

「終わりなき旅」

39の項で詳しく述べた、僕にとってのバイブル曲。

『高ければ高い壁の方が　登った時気持ちいいもんな』

この言葉が僕の人生の指針だ。

——アルバム『DISCOVERY』に収録

40

ネットバカではいけない。

あれは確か小学校3年生のクリスマスのことだ。クリスマスイブに欲しい物を手紙に書いて、布団にもぐりこんだ。

僕が手紙に書いたのは「スーパーファミコンが欲しい」だった。

当時、僕のまわりはみなスーパーファミコンを持っていて、「ドラゴンクエスト」や「ファイナルファンタジー」といったロールプレイングゲームをやっていたからだ。

朝起きてドキドキしながら枕元の箱を見た。ん？　何やら箱が小さい……。どう見てもスーパーファミコンが入りそうにない長細い箱が置いてあった。

包みを破り、箱を開けるとそこに入っていたのは真新しいサッカーのスパイクだった。1週間前にスポーツ用品店で両親と一緒に試着した、黒いスパイクだった。

そのとき僕は世の中にサンタがいないことを知った。いや、いるのかもしれないが我が家には来ないことを悟ったのだ。あの切なさは今でも忘れられない。

とにかく両親のそういう教育方針（？）のおかげで、僕はゲームをやらないというか、できない大人になってしまった。ワールドカップでは空き時間にゲームをやる選手が多かったけれど、〝ゲーム音痴《おんち》〟の僕はまったく参加できなかった。ただし両親がゲームを遠ざけてくれたのは、今となってはすごく良かったと思っている。

僕は一度やり始めると、とことんハマるタイプ。気晴らしでゲームをやるつもりが気がついたら朝までやっていた……なんてことになりかねない。時間の使い方がうまい人にとってはゲームは素晴らしい遊びになると思うけれど、僕のようなタイプには危険すぎる。

これはインターネットや携帯電話のメールにも言えることだ。

ネットサーフィンはいろいろな情報が得られるし、特に海外に住んでいると日本のニュースを読めるのはすごくありがたい。携帯電話のメールもちょっとした空き時間を埋めたり、誰かにちょっかいを出すのにこれほど最適なものはない。だが、これらに没頭しすぎてしまうと生活のリズムに影響が出てしまう。特に夜にやってしまうと神経がたかぶってしまって、なかなか寝つけないということにもなる。

あくまで僕個人の意見としては、ゲームやインターネットに時間を費やしすぎるのはもったいないことだと思う。サッカーゲームをすれば、ピッチを俯瞰《ふかん》して見ることができて、サッカーの役に立つという意見もあるかもしれないが、そうであったら、実際のサッカーの試合をテレビで観た方がよほど勉強になる。それに映画を観たり、読書をしたり、語学の勉強をするなどした方が、はるかに自分のためになる。

遊びたい気持ちも分かる。誰かに心の隙間《すきま》を埋めてもらいたいと思う気持ちも分かる。でも、ほどほどにしないといけない。自分で自分にけじめをつけなければならない。

息抜きも、度が過ぎたら時間の浪費だ。

便利な時代になっているからこそ、僕はＩＴの恩恵を最小限に受けつつ、あえてアナログ的な時間の過ごし方を大事にしていきたい。

第7章

想像する。

41→45

41

常に最悪を想定する。

ここに一枚の写真がある。

ワールドカップのパラグアイ戦、パラグアイの最後のキッカーがＰＫを決めた直後の写真。決められた瞬間だから、「負け」が確定した瞬間である。

チームメイトが横並びに写っている。隣には本田（圭佑）が拝むように手のひらを合わせたまま、地面に突っ伏している。長友（佑都）がしわくちゃに顔をゆがめ、その横ではケンゴさん（中村憲剛）が腰に両手をまわして呆然としていた。

だが、このなかでひとりだけ表情が違う人物がいた。それが僕だった。とある記者さんは、

「負けた瞬間なのにすっと立ち上がって、ＧＫの方に歩いています。しかもちょっと顔がすっきりしている。これはキャプテンだったから切り替えられたのですか？　それともある程度負けを覚悟していたのですか？」

まったく覚えていないし、正直驚いた。確かに写真のなかで僕はいち早く立ち上がり、すでに前へ一歩踏み出していた。顔を見ると、とても試合直後の表情には見えず、悔しさや驚きといった感情の変化をまったく感じ取れないうえに、少し微笑《ほほえ》んでいるようにも見える。

続けて、記者の方は僕にこう訊《き》いてきた。

「PK戦で負けたら、他の選手のように悔しさのあまり呆然《ぼうぜん》とするのが普通だと思う。なぜ長谷部さんは、こんなにもすぐに切り替えられたのか？」

分からない。本当に分からない。でも当然ながら「エイジ（川島永嗣）、止めてくれ」と祈るようにして心の中で唱《とな》えていた。

分からないながらも、当時のことを自問してみた。

――ゲームキャプテンだったから？

これは違う。キャプテンとしてすぐに行動できるほど、自分のなかにキャプテンであるという意識は根強くなかった。

――一本も止められなかった川島を労《ねぎら》いたかったから？

これも違う。PKは決められるのが当たり前だし、それより外してしまったコマちゃん（駒野《こまの》友一《ゆういち》）の方が気になった。

――負けを想定していたからか？

正直なところ、これが一番近いのかもしれない。もちろん勝ちたいと願ってはいたけれど、身体のどこかで「入れられて負けたら仕方ない」と考えていたのかもしれない。

よくよく考えて見ると、ひとつ思い当たる節があることはある。

僕は何が起こっても心が乱れないように、普段から常に「最悪の状況」を想定しておく習慣があるということだ。

たとえば、所属クラブや代表でレギュラーだったとしても、いつ外されるか分からない。だから、レギュラーから急に外されるという「最悪の状況」を前もって想定して、日頃から準備を進めている。

ワールドカップにおいて、結果的に僕はすべての試合に先発させてもらったが、決して調子が良くないことは自分自身分かっていた。もちろん試合には出られるコンディションだったが、絶好調とまではいかなかった。だからこそ、いつ外されてもおかしくないとすら考えていた。岡田監督は選手の好不調を見抜き、思いきった采配《さいはい》ができる指揮官であるし、実際に僕はグループリーグの最初の2試合は後半の途中で交代させられている。

だからこそ、大会中にもしベンチスタートになったら、自分に何ができるかも常に考えていた。これは「外されたらどうしよう？」とビクビクしているわけではなく、集団として戦うなかで自分ひとりの感情でチームを揺さぶらないようにしたいと思っていたからこそだ。

ワールドカップは期間が短いので、個人のレベル向上のためにできることは限られている。だから、それまでチームメイトがしてくれたようにベンチから声を出して盛り上げ、先発組が集中して試合に臨めるように全力でサポートしようと思っていた。

また、所属クラブであれば、もっと時間をかけて「最悪の状況」に備えられる。先発から外されたと仮定し、危機感を持つことで、あらためて自分の欠点と向き合う。たとえば自分が中央のエリアで縦パスを出せていなかったと思ったら、練習で意識してそれにチャレンジすればいい。

最悪のケースを考えるというと、何だか悲観主義者のように思われてしまうかもしれないけれど、僕はそうは思わない。最悪を想定するのは、「失敗するかもしれない」と弱気になるためではなく、何が起きてもそれを受け止める覚悟があるという「決心を固める」作業でもあるからだ。

後づけになってしまうけれど、パラグアイ戦のＰＫ戦のとき、僕がすぐに立ち上がったのは、みんなで全力を出してやった結果なのだから、どんなラストが待っていようと悔いはないと捉《とら》えていたのかもしれない。今はそう思う。

42

指揮官の立場を想像する。

ワールドカップの経験を通して、ひとつ気がついたことがある。

それは、「人の上に立つ人間は、孤独である」ということだ。

岡田監督は南アフリカ大会の直前にある意味、非情な決断を下した。ゲームキャプテンを替え、GKを含むいくつかのレギュラーを入れ替え、戦い方も従来築き上げてきたスタイルからの方向転換を決断した。その変更について報道では賛否両論《さんぴりょうろん》があったし、チーム内外に大きな影響を与える決断だったことは間違いない。

この一連の変更を間近で見て強く感じたのは、岡田監督がすべて責任を負い、決めているということだった。普通に考えれば当たり前のことだけれど、その決断がいい悪いは関係なく、代表チームを率いるというのは、これほど大きな孤独に耐えなければいけないのかと痛感させられた。

ワールドカップの戦いを終え、南アフリカから帰国して実家に帰ったとき、僕は大会中に朝日新聞に掲載された、ある記事広告を見つけた。それは岡田監督の娘さんが父親に向けて書いた手紙が掲載されていて、オランダ戦の当日に掲載されたものだった。

「お父さん元気ですか。ごはん、ちゃんと食べてますか？　ちゃんと眠れてますか？　お父さんが岡田監督として難しい顔している姿、毎日テレビで見ています。（中略）私たち家族ができることは少ないけれど精一杯、応援しています。いつもありがとう。お父さんは、私の誇りです。娘より」

僕はこの手紙を読んで、熱いものが込み上げてきた。

いくらみんなの前では監督として振舞《ふるま》っていても、ひとりの人間であり、ひとりの父親であるということが痛いほど手紙から伝わってきた。そして家族の支えがあるからこそ、どんなに窮地《きゅうち》に立たされても、自分を見失わず、孤独に勝ち、前に進み続けられる。それが分かったような気がしたのだ。

僕もワールドカップでゲームキャプテンを務めることになって、自分なりに「組織の代表者になる」ということについて考えさせられるところがあった。ゲームキャプテンは選手の上に立つわけじゃないし、あくまで公式会見やコイントスのときにみんなを代表するだけにすぎない。何より当時の日本代表には、川口能活さんという、みんなが頼りにするチームキャプテンがいた。それでも、自分がゲームキャプテンになったことでチームの和が乱れるようなことは絶対に防がなきゃいけないと思ったし、だからチーム内の人間関係には細心の注意を払った。

監督の決断がいつもいい結果をもたらすとは限らないし、どんな選手でも多かれ少なかれ采配に疑問を持つことがあるだろう。僕自身も決して口には出さないが、戦術のこの部分を修正したらうまくいくかもしれない……と思うことがある。しかし、監督が孤独な立場であることを分かっていれば、不満や疑心といったネガティブな感情に、自分が流されてしまうことはない。

どんな監督だってミスをするし、それは自分も同じだ。自分は、自分を選んでくれた監督の期待に応《こた》え、監督のプラン通りにいくようにプレーするだけだ。

ワールドカップでゲームキャプテンとして、より監督の近くで、コミュニケーションを図らせていただいたことにより、以前よりも人の上に立つ人間の気持ちを想像する習慣がついたと思う。

43

勝負所を見極める。

08－09シーズン後半。

僕は4月に左ひざの遊離《ゆうり》軟骨《なんこつ》の摘出手術をしたため、約1ヵ月間、チームの練習から離脱することになってしまった。ちょうどヴォルフスブルクがブンデスリーガの優勝争いをしている真っ只中《ただなか》で、正直、手術をシーズン終了まで待とうか迷ったけれど、思い切ってひざにメスを入れることにした。

なぜなら、シーズンの最後に、必ず「勝負所」が来ると思ったからだ。

シーズンの終盤というのは、身体だけでなく心にも疲労が蓄積されていて、いつもどおりの力を出すのは極めて難しい。マラソンでいえばラスト35km付近を過ぎたあたりのようなもので、心身ともにギリギリの状態でプレーすることになる。

そういう正念場に、ひざの痛みを抱えたまま臨んでも、監督が求めるプレーはできないと思った。自分の居場所がなくなるリスクがあったが、きちんとケガを治して、シーズン最後の「勝負所」に万全の状態で臨むことを選択した。

ある意味これは博打《ばくち》だった。今振り返ると、紙一重の選択だったかもしれない。だが、その博打が大きな成功をもたらすことになるのだ。

ヴォルフスブルクは29節にコットブスに0対2で敗れ、さらに31節にシュツットガルトに1対4で惨敗。ついに2位バイエルンに勝ち点で並ばれてしまった。一度も優勝したことがないチームが、ブンデスリーガ優勝21回（当時）の百戦錬磨の王者に追いつかれたのだから、もうパニック同然だ。復帰したばかりの僕は出番がなく、何の助けにもなれないことが歯がゆかった。

シュツットガルト戦の翌日、クラブハウスで緊急ミーティングが開かれた。大きなテレビ画面の前にマガト監督が立ち、選手たちはずらっと並べられたパイプ椅子に座る。部屋は狭く、人の熱気で沸きかえっていた。テレビ画面にシュツットガルト戦の失点シーンが流された。

マガト監督は選手たちに「攻守の切り替えが遅い。もっと走ってボールを追え」と要求した。それに対して、選手たちは「この敗戦は忘れて、次に進みたい」と主張した。意見は真正面からぶつかりあい、ミーティングは3時間を超える大激論になった。これほど選手が監督に意見するのは、僕がヴォルフスブルクに来てから初めてのことだった。

最後は監督とコーチが部屋から出て行き、選手たちだけで腹を割って話し合った。

ドイツ人選手が中心になって、一人ひとりに意見を訊いていく。ブラジル人選手たちも、ポルトガル語を話せるチームメイトが通訳して、意見を述べた。

僕の番が来た。ベンチから見て感じた印象を拙《つたな》いドイツ語で率直にぶつけた。

「シュツットガルト戦では、ＤＦラインの裏にボールが出たとき、ＦＷが全然追わなかった。もっと、そういうときに全員が走らなきゃダメだと思う。今シーズンはあと3試合しかないんだ。一つひとつのプレーをもっと大事にしよう」

結局、何か答えが出たわけじゃないけれど、それぞれが想いを吐露《とろ》して、再びチームがまとまったような気がした。

32節のドルトムント戦前の練習中、マガト監督が歩み寄り、真剣な表情で話しかけてきた。

「ケガの具合はどうだ。準備はできているか?」

僕は即答した。

「ケガはまったく問題ないです。いつでも試合に出られます」

マガト監督は僕の目をぐっと見据え、無言のまま深くうなずいた。

ドルトムント戦で、ついに僕に先発のチャンスが訪れた。ポジションは、いつもの右ＭＦではなく、右サイドバック。おそらくマガト監督なりにブランクを考慮してくれたのだろう。ずっと休んでいた分、誰よりも走り、誰よりも体を張ろうと思った。チームは前半15分に先制し、さらに後半2分にダメ押し点を決めて、嫌なムードを一気に振り払った。

この試合で、ちょっとしたアクシデントがあった。

後半途中、ゴール前で浮き球が上がり、僕はヘディングでクリアしようとした。すると相手の選手が足を高く振り上げてくるのが見えた。まるで踵《かかと》落としのような感じだ。構わず突っ込むと、相手のスパイクの金属の部分が額《ひたい》にザクッと刺さり、ものすごい勢いで血が噴《ふ》き出した。

優勝争いをしているという興奮からか、まったく痛みは感じず、包帯を巻いてすぐにピッチに戻ろうとした。しかし血が一向に止まらないため、レフリーストップがかかり、後半35分にピッチから退いた。

額の傷は10㎝くらいはあった。なるべく早く縫《ぬ》った方がいいということで、スタジアムの医務室でチームドクターの処置を受けることになった。太い針が額の上を何度も行き来し、傷口にはまるでフランケンシュタインの怪物のように見事な「×」点が並んだ。今どき特殊メイクだって、あんなグロテスクな傷にはしないと思う。

これは後日談だが、倒れてピッチの外に出たときにチームのドクターは眉毛くらいのところの傷を見ていた。そこからもちょっと血が出ていたのだけれど、本来は髪の毛の生え際近辺から出血していたのに、なぜかドクターはそちらを見落としていて「全然問題ない。すぐ戻れる」と。だから僕もやる気満々だったのだが、レフリーが異常を察知してストップをかけたという経緯もあった。

この傷の影響で、次の試合は出してもらえないかもしれない……と心配したが僕はスタメンに名を連ねることになる。

マガト監督はロッカールームで、ニヤニヤしながら話しかけてきた。

「マコト、試合に出てもらうぞ。危ないからヘディングは原則禁止だ。ただ、自分のゴール前と相手のゴール前でヘディングしないといけない場面ではヘディングをしなさい」

さすがはドイツ一の〝鬼軍曹《おにぐんそう》〟。33節のハノーファー戦、再び右サイドバックとして先発。前半14分、僕は右サイドからのクロスでジェコの先制点をアシストし、さらに後半35分、またもやジェコのゴールをお膳立てすることができた。チームは5対0で圧勝。僕はマガト監督との約束どおり、90分間一度もヘディングをしなかった。

ここまできたら、もう負ける気はしない。最終節のブレーメン戦で僕は右MFで先発し、先制点につながるクロスをあげることができた。僕はいつもあまり表情を変えないようにしているけれど、さすがにこのときはプレッシャーから解き放たれ、拳《こぶし》を握って「よっしゃー」と叫んだ。

5対1でヴォルフスブルクは勝利し、クラブ史上初のブンデスリーガ優勝を成し遂げた。

試合後、僕はスタンドから大きな日の丸の旗を受け取って、両肩に結びつけた。当時、日本代表の常連ではなかった自分でもヨーロッパのリーグでここまでできるんだ。そんなメッセージを日本の若い選手たちに伝えたかったからだ。

もし遊離軟骨を取り除かず、そのままプレーしていたらシーズンの後期にもっと試合に出られただろう。けれど、手術を受けて万全の状態にしたからこそ、優勝がかかった最後の3試合で先発し、ゴールに絡《から》むプレーができたのだ。

それから約半年後に読んだ『脳に悪い7つの習慣』（林成之著　幻冬舎新書）という本に、とても

興味深いことが書いてあった。著者の林先生は日本の競泳チームのメンタルトレーナー的な役割を担っており、北京五輪の前に、こんなレクチャーをしたという。

「ラスト10メートルを『もうすぐゴール』と意識するのではなく、『マイゾーン』として、自分が最もカッコ良くゴールするための美学を追求しながら泳いで欲しい」

ラストこそ勝負所。まさにサッカーにも当てはまることだと思った。

ラスト10メートルを、サッカーの試合に置き換えると「ラスト10分」になるだろうし、1シーズンに置き換えれば「ラスト5、6試合」となるだろうか。そこで何をできるかで、周囲からの印象はまったくの別のモノになる。

常に100%のプレーをするのは当然だ。それをやったうえで、勝負所で100%+α《アルファ》の力を出せる選手になりたいと思っている。

44

他人の失敗を、自分の教訓にする。

僕は昔から女性と話すのが得意ではない。

小学校と中学校では何度か学級委員をやるなど、人前で話す機会はあったけれど、女の子と1対1で向き合うとなると話は別。途端《とたん》に相手の目を見られなくなり、何を話していいか分からなくなった。さらに幸か不幸か、藤枝東高校サッカー部では当時「彼女を作るなんてダサい」という雰囲気があった。そのせいか、僕は女性とはあまり縁のない高校生活を送ることになった。とはいっても、僕は高校時代に2人の女性と付き合ったことがある。正確には付き合ったと言えないのだが……。

ひとり目は高校2年生のときだ。他校の女の子から電話がかかってきて、「付き合ってください」と告白された。一応、相手の顔は知っていたけれど、話したのはそれが初めてだった。僕は気が動転して、どうしたらいいかわからず、つい「いいよ」と答えてしまった。

しかし、サッカー部の練習は毎日あるし、僕が奥手《おくて》だということもあって、なかなか「会おうよ」とはならない。たまに緊張感たっぷりの電話をするだけで、気がつけば会わずに2週間が過ぎた。こんなの続けても無駄だ、と思った。僕は彼女に電話して、「別れてほしい」と切り出した。

今考えれば、男として本当に情けなかったと思うし、相手の女性に対して、かなり失礼だったと思う。別れるも何も、付き合っているとは到底言えなかった。2人目の人と付き合ったときも同じような感じで、1ヵ月も経たないうちに別れてしまった。

高校を卒業して浦和レッズに加入したときには、都会の華やかさに目を奪われた。でも僕が思ったのは、「自分はプロなんだから、絶対に夜遊びなんてしないぞ」ということ。高校時代と同じように、サッカーに没頭する日々を送った。

ただ、2年目にレギュラーに近い存在になり、先発出場が増えてくると僕の決心も次第に薄れていった。いろいろな人に誘われて夜の街に出ると想像していた以上に楽しかったし、自分が試合に出ているからか、まわりもチヤホヤしてくれる。どんどん夜の付き合いが増えていってしまった。今だから言うけれど、翌日に練習がある平日に遊びに行ったこともあった。

しかし、そういう生活を1年近く送ったときに、僕はふとある〝相関関係〟に気がついた。まわりの選手を見ていると、夜遊びをして、たくさんお酒を飲んでいる選手ほど筋肉系のケガをする確率が高かったのだ。

もちろんこれは僕の主観で、データ的な裏づけもないし、もしかしたら関係がないかもしれない。だが、のちにアスレチックトレーナーの方に聞いたところ、お酒を飲むと患部《かんぶ》が充血《じゅうけつ》して、ケガの回復が遅れるそうだ。古傷の状態が悪化することもあるという。

正直、活躍すればするほどチヤホヤされるのだから、誘いが多くなるのは当然だ。しかし、その流れに身を委《ゆだ》ね続けていたら、いつかしわ寄せがくる。そんなことになったら、応援してくれている家族やサポーターへの裏切りだ。それから僕は翌日に練習があるときは周囲からの誘いを断るようになった。翌日がオフのときは気分転換も兼ねて出かけることもあったけれど、お酒は飲み過ぎないように注意した。

最初の頃はよほど意志が強くない限り、誰だってまわりに流されてしまうだろう。道からそれても注意してくれる人間はほとんどいないし、たとえ注意してもらったとしても聞く耳を持つのは難しい。

これは他章でも書いたけれど、僕はヴォルフスブルグに入ったときに他の選手からの誘いを断らないようにしていた。矛盾しているようだけれど、分かっていて誘いに応えるのと楽しいからと誘いに流されるのは全然違う。

その日その日の愉《たの》しみを優先するのではなく、先を見据えることが必要だ。周囲の様子、傾向、失敗を自分に置き換えて、自分の未来を想像することも必要だと思う。

「自分だけは大丈夫」。そこに明確な根拠は何もない。

45 楽な方に流されると、誰かが傷つく。

もしあの失敗がなかったら、志望高校にも受からなかっただろうし、のちにプロの世界の誘惑に勝つことができなかったかもしれない。

中学校3年生の夏。サッカー部を引退して、受験勉強を本格的にスタートしたときのことだった。僕は嘘《うそ》をついて、両親と先生を裏切ってしまった。

当時、僕は地元の進学校・静岡県立藤枝東高校を目指すと両親に宣言したものの、塾に通う毎日に嫌気がさして、すごくムシャクシャしていた。

僕はゲームなんて好きじゃないのに、無性にゲームセンターに行きたくなった。親に「塾に自習に行くから」と嘘をついて、同級生4、5人とともにゲームセンターに入り浸った。勉強とは正反対の世界にいることが、ささくれだった心を満たしてくれた。思えば、これが僕の最初で最後の反抗期（?）だった。しかし、藤枝のような小さい町でそんなことがバレないわけがない。

誰かが学校に通報して、僕たちが塾をさぼっていることが発覚した。

父さんは怒るときは、いつも自分の部屋に呼び出す。このときもそうだった。父さんが一番怒ったのは勉強をさぼったことよりも、嘘をついたことだった。あんなに怖い父さんは初めてだった。

母さんは僕を責めなかったけれど、ものすごく悲しそうな顔をしていた。

僕たちは学校にも呼び出された。職員室で生活指導の先生に怒られているとき、サッカー部の滝《たき》本義三郎《もときさぶろう》監督が机に向かって事務作業をしているのが見えた。滝本監督は僕をかわいがってくれていて、藤枝東高校を受験するのをすごく応援してくれていた。なのに僕は塾をさぼって、ゲームセンターで遊び、期待も信頼も踏みにじってしまった。とてもじゃないけれど、滝本先生の顔を直視することはできなかった。

自分の意志が弱く、楽な方に流され、そのせいで支えてくれる人たちを傷つけてしまった。僕は情けなくて、恥ずかしくて、もう二度とこんなことを繰り返してはいけないと強く思った。

それからは受験勉強に没頭した。もちろん、まったく息抜きをしなかったわけじゃない。ただ、もう嘘をついて、こそこそ隠れて遊びに行くことは絶対にしなかった。ちゃんと親に言ってから家を出て、友達と公園でサッカーをしていた。

今でも楽な方に流されそうになることがあるし、実際流されてしまうこともあるけれど、そんなときは両親、恩師など、いろいろな人の顔を思い浮かべる。みんなの存在が弱い心にブレーキをかけてくれる。

第8章

脱皮する。

46→49

46

変化に対応する。

「正解はひとつではない」

僕は何に対しても、固定観念にとらわれないように注意している。正解を決めつけてしまうと、自分が知らない物の見方や価値観に対して、臆病《おくびょう》になってしまう可能性がある。自分の殻に閉じこもってしまわないためにも、正解はそのときどきに応じて変わるものだと考えるようにしている。

「考えは生き物。常に変化していい」

しかし頭では分かっていても、実際に自分が変化に直面したとき、それを受け入れて実行に移すのは簡単なことではない。ワールドカップにおいて、僕はそのことをあらためて痛感《つうかん》させられた。

大会の開幕約2週間前のことだった。

5月24日、日本代表は埼玉スタジアムで韓国代表と親善試合を行なった。日本を発《た》つ直前の壮行試合であり、スタジアムには約5万7000人のお客さんが駆けつけ、声援を送ってくれた。

ところが僕たちは韓国のアグレッシブなプレーに圧倒され、ホームなのになかなかチャンスを作ることができない。結果は0対2――。スタンドから大ブーイングが起こったのも、当然だった。

この試合において、僕たちには「戦う気持ち」が欠如していた。もしかしたら大会のメンバーに選ばれて、どこかほっとした気持ちがあったのかもしれないが、それは言い訳にすぎないだろう。

このままではまずい。選手同士で本音をぶつけ合う場が必要だと感じた。

日本を発つ直前、僕はチームキャプテンの能活さん（川口）に、こう切り出した。

「選手だけでミーティングをやりませんか？」

能活さんによれば、すでに他の選手からも同じようなことを言われていたそうで、すぐにみんなに呼びかけてくれた。誰が言い出したかは重要ではなく、選手だけのミーティングが実行されることに大きな意味があった。

そして、スイスのザースフェー合宿の2日目、選手全員がホテルの会議室に集まった。

能活さんがまとめ役になって、一人ひとりが感じていたことを正直に話した。議論のメインテーマになったのは、どこからプレスをかけるべきか、という戦術的なことだった。

岡田監督はワールドカップのアジア地区予選では、前線から積極的にプレスをかける戦術を採用していた。だが、ワールドカップで対戦する国はアジア予選の国よりはるかにレベルの高い相手だ。はたしてアジアと同じやり方がワールドカップで通用するのか、という疑問がチーム内には少なからずあった。

前線からプレスをかけ続けるのには体力が必要だし、プレスをかわされたときに一気にピンチになるというリスクもある。ならば、自陣に戻ってしっかり守備のブロックを作り、相手の攻撃を待ち伏せした方がいいのではないか？　ミーティングでは、そんな意見が複数の選手から出てきた。

――前からプレスをかけるか。

――自陣に戻って守備のブロックを作るか。

選手の意見は真っ二つに割れた。僕の考え方は前者。それまで取り組んできたことを大会直前に変更するのは、「逃げ」だと感じたからである。

しかし、こういう戦術的な方針は監督が決めることで選手たちが結論を出せる問題ではない。次第に選手からそういう声があがり始め、「ここで戦術の答えを出す必要はない」ということでみんなの意見が一致した。

このミーティングで重要だったのは、「戦う気持ち」を再確認できたことだった。ボールを簡単に失ってはいけない。ボールを取られたら、身体を張って奪い返しに行く。仲間が劣勢に立たされていたら全力で助けに行く。そういうサッカーのごく基本的なことを、思い出すことができた。

ただ、それはあくまで基礎で、応用とも言える戦術のことに関しては、「答えを出す必要はない」と選手同士の言い合いを避けられただけで、何も前進していなかった。

何度も書いたがこのミーティングの3日後、岡田監督が戦術変更という重大な決断を下す。

5月30日のイングランドとの親善試合、日本は1点を先行したが、後半に2点を失い、1対2の敗戦。変化に対して、結果がともなわず、チームが自信を取り戻すきっかけにはならなかった。

本当にこのやり方でいいのか……。これまで世界に通用すると思ってやってきたことは無駄だったのか……。僕は何が正解かわからなくなってしまった。すでに監督が決めたのだから、選手として受け入れなければいけないのに頭では理解できても、心が拒否反応を起こしていたのである。

しかし、ある本に書かれていた一文が、僕の迷いを吹き飛ばすことになる。

持参していた『超訳　ニーチェの言葉』という本だ。ドイツの哲学者ニーチェの名言が収められている。

この本をめくっていると、

【脱皮して生きていく】

という項目が目に飛び込んできた。その説明として、

脱皮しない蛇は破滅《はめつ》する。人間もまったく同じだ。古い考えの皮をいつまでもかぶっていれば、やがて内側から腐っていき、成長することなどできないどころか、死んでしまう。常に新しく生きていくために、わたしたちは考えを新陳代謝させていかなくてはならないのだ。

僕はこの一文を読んで、ドキッとした。

戦術変更を受け入れられない自分は、まさに「脱皮しない蛇」なのではないか、と。

普段から「正解はひとつではない」と心がけるようにしていたはずなのに、大会の重圧に負けて余裕がなくなり、その心がけを忘れてしまっていた。

岡田監督の決断は決して「逃げ」ではなく、勇気ある脱皮なんだ。そこから僕は迷いを吹っ切り、監督の新たな戦術をとことん信じることにした。もしまわりが脱皮しようとしているのに、自分だ

けが古い皮をかぶったままだったら、チームに迷惑をかけてしまっていたと思う。

考えも、正解も変化していくものだ。僕はその変化に柔軟に対応できる選手でいたい。

47

迷ったときこそ、難しい道を選ぶ。

人生の岐路に立たされたとき、どんなに自信があっても迷いは生まれるものだと思う。もし失敗したらという不安。まわりからの反対。挫折《ざせつ》することへの恐れ。どうすれば成功するかという確固たるノウハウなんてないし、人それぞれの道の選び方があると思う。

では岐路に立ったときに、僕は何を大切にしているのか。

もちろん、まだこれだと自信を持って言えるものは見つかっておらず、今なお模索中だけれど、ひとつだけ意識していることがある。

それは「あえて難しいと思った方を選択する」ということだ。

ここまで歩んで来た道のりを振り返ると、挫折欲があるのかなぁと思うほど、僕は迷ったときに難しい道を選択してきた。周囲からしたら無茶な決断ばかりで、どこかで一度でも失敗していたら、今頃、何をしていたか分からない。両親は常に僕が選ぶ道に反対したし、実際、自分が親だったら同じように反対したと思う。怖いもの知らずというよりはただの無謀《むぼう》だった。

しかし僕は知っている。難しい道ほど自分に多くのものをもたらし、新しい世界が目の前に広がることを。

最初の岐路は高校受験だった。僕は決して勉強が得意だったわけではなく、両親は私立大学の付属高校に進むことをのぞんでいた。サッカー部も強かったし、何より付属なので大学までの進学を計算できる。担任の先生も両親と同じように付属高校を勧めた。

しかし僕は静岡県立藤枝東高校に行きたかった。

藤枝のサッカー少年にとって、藤枝東高校サッカー部の「藤色」(薄い紫色)のユニフォームは憧《あこが》れ。藤枝東高校は地元一の進学校でもあり、当時の僕の学力では入学は難しいことは分かっていたけれど、サッカーをやるなら藤枝東がよかった。

僕は両親に「絶対に藤枝東に合格する」と宣言して、中3の夏から猛勉強を開始した。僕の勉強法はサッカーの練習と同じで集中力重視。夜更かしはせず、きちんと睡眠を取り、朝起きて集中して勉強する。そして僕は何とか藤枝東に合格することができた。

合格発表で自分の受験番号を見つけたときは、いま考えると恥ずかしいのだが、なんと母親と抱き合って喜んだものだ。

次の岐路は高3の秋。藤枝東高校サッカー部が静岡県予選で優勝し、インターハイに出場できたおかげで、僕は都内の私立大学の推薦を取ることができた。それを両親とともに大喜びしていたら、浦和レッズからオファーが来たのである。僕は県内においてもほぼ無名の存在で、プロなんて夢にも思わなかった。当然、両親は「大学に進学しなさい」と、プロ行きには猛反対した。

だが、スカウトの人から自分の評価を聞いているうちにだんだんプロで自分の力を試したいという闘志がわきあがってきた。明らかに根拠のない自信なのだけれど、何だかやれるような気になっていた。僕は両親に「大学の推薦を断って、レッズに行きたい」と告げた。

うまくいけば、レッズという名門クラブのレギュラーになれる。

しかし失敗すれば、大卒という肩書きを失ったうえに、就職さえままならなくなる。

そんなリスクある人生設計を両親が許すわけがない。僕を説得するために中学時代にサッカー部の監督だった滝本義三郎先生にお願いして、四者面談の場が設けられた。恩師の滝本先生が止めれば、さすがに息子はプロ行きを諦《あきら》めると思ったのだろう。

滝本先生は、面談でこう訊《き》いてきた。

「県内で一番と言われている選手が清水エスパルスに入団するのは知っているか？　オマエはあの選手以上のプレーをできるのか？」

僕は決心を試されているのだと思った。だから、あえて強い口調で言い切った。

「できます」

あとでわかったのだが、滝本先生は事前にいろいろな人に、僕がプロで通用するかを聞いていてくれたらしい。先生が得た答えはイエスだった。滝本先生は「決意がそんなに固いなら、私も応援する」と言ってくれた。

最終的に僕は両親を説得することができた。今、長谷部家では、「あのとき大学に進んでいたら、今頃、どうなっていただろう」とよく話している。

プロになってからは、大げさに言えば毎日が岐路だった。

競争に勝って、試合に出られるか。競争から逃げて、他の仕事を探すか。

そういう厳しい世界に何とか食らいついて生き残り、6年が経つと試合に出るのが当たり前になった。昔のように新鮮な気持ちで試合に臨むことができない。選手として行き詰まり始めていることを感じていた。

そろそろ新たな挑戦が必要なときかもしれない――。

僕は海外移籍を本気で考え始めた。

幸運にも絶好のタイミングで、ドイツのヴォルフスブルクと、イタリアのシエナからオファーが届いた。イタリアは外国人枠の問題もあったので、僕はヴォルフスブルクのオファーを優先した。

金銭的なことを書くと、ヴォルフスブルグの提示価格が良かったわけではない。ただ、あのタイミングでの移籍はお金ではなかった。自分に必要だったのは、毎日ヒリヒリするような競争と挑戦であった。

僕は代理人のロベルト佃さんとともに、またしても両親と四者面談を行なった。両親は「海外なんて無謀だ」とすごく心配していたからだ。ロベさんが移籍にともなうメリット、デメリットを細かく説明しても、両親はなかなか納得してくれなかった。

けれど、いつだって最後は僕の気持ちを優先してくれる。

話し合いが終わりに差しかかったとき、両親が問いかけてきた。

「本当にヨーロッパでできるの？」

僕は父親と、母親の目を交互に見つめて答えた。

「できるよ。僕は大丈夫だから」

ドイツへ出発するとき、両親は後援会の人たちとともに成田空港まで見送りに来てくれた。両親も僕と同じように腹を括《くく》っていてくれたのだと思う。心配そうなそぶりをまったく見せずに、快く送り出してくれた。

とはいえ、僕だっていつも無鉄砲《むてっぽう》に、壁を目がけて突っ走るわけではない。

道に迷ったときは、「どちらが難しいか」を考えると同時に、「どちらが得るものが多いか」も考えるようにしている。たいていの場合、「難しい道」と「得るものが多い道」は一致するが、そうではない場合もある。それは自分が今いる場所で、まだ何かをやり遂げたとは言えない場合だ。

ワタミグループ創業者の渡邉美樹《わたなべみき》さんが、著書の中でこんなことを書いていた。

「最近の若者は、会社をすぐ辞める。今の仕事が自分のやりたいことじゃないから、次を探す、という感じで。でも、今いる会社で与えられた仕事をできないのでは、転職先でもできるわけがない。だから今の会社で我慢して、自分で本当にできたと思ったときに転職すればいい。それをやらずに人のせいにしたり、自分とは合わないからという理由で、すぐに辞めていく若者が多すぎる」

僕は渡邉さんの考えに大賛成だ。挑戦と逃げることはまったく違う。もし今いる場所でまだ何もやり遂げられていないのなら、新たな道を探したりせず、そこに留《とど》まる方が「得るものが多い」はずだ。

レッズから海外に移籍しようと思ったとき、僕はすでにJリーグ、天皇杯、ナビスコカップのタイトルを手にしていた。次の「難しい道」に進む準備はできていたと思う。一方、ヴォルフスブルクでは2009年にブンデスリーガで優勝したものの、1年間を通してレギュラーとして出場するという目標はまだ達成できていなかった。だから、'10年4月下旬に契約を延長するか迷ったときには、「まだヴォルフスブルクでやり残したことがある」と考え、クラブに留まることを選んだ。

僕はサッカーを通じて、いろいろな経験をさせてもらった。今自分が言えるのは、挑戦し続け、その場その場で全力でもがき続けると、人間は変われるということだ。

海外に移籍した選手が試合に出られなかったら、メディアの人たちはすぐに失敗だったと報じようとする。けれど僕は全然そう思わない。たとえ試合に出られなかったとしても、貴重な経験をしているはずだからだ。

スコットランドで活躍した俊さん（中村俊輔）は、'09年夏、横浜F・マリノスへの復帰を有力視されながら、最終的にスペインに移籍した。約半年間も満足に出番がない時期が続いて、結局、'10年1月に古巣の横浜F・マリノスに移籍した。けれど俊さんは、のちに「出場時間は限られていたけれど、今回（スペイン）の移籍は失敗じゃなかった」と言っていた。

半年間の合計出場時間だけを見たら、成功とは言えないかもしれない。だが、一度きりのサッカー人生のなかで憧れていたリーグでプレーできる選手はひと握りしかいないだろう。それを実現できたという意味ですでに成功であり、異なるサッカー文化の国でプレーしたことで、アイデアの引き出し、プレースピードの対応など、純粋にサッカー選手としてもプラスになったものは多かったはずだ。あえて強い言い方をさせてもらえば、もし俊さんのスペイン移籍を失敗だと言う人がいたとしたら、その人は挑戦をしたことがない人のはずだ。挑戦した経験のある人なら、それによって何を得られるかを知っているからである。


僕には今後のサッカー人生のなかで、絶対にやり遂げたいことがある。

それが何かは、実現するまでは秘密にさせてほしい。誰にも言わないつもりだ。

その目標はすごく高いところにあって、もしかしたら自分が高校生からJリーガーになったのより難しいことかもしれない。それでも自分は、絶対にやり遂げたいと思っている。

ちょっと背伸びをしたら、向こう側が見えてしまうような壁では物足りない。背伸びをしても、ジャンプをしても、先が見えないような壁の方が、乗り越えたときに新たな世界が広がるし、新たな自分が発見できる。今、ヴォルフスブルクでプレーしていて、焦りもあるし葛藤《かっとう》もある。けれど、そういう苦しみがあるからこそ挑戦は楽しいと思う。だからこそ僕は常に「難しい道」を選び続けられる人間でありたい。

48

異文化のメンタリティを取り入れる。

2004年の夏、浦和レッズがイングランドのマンチェスターに遠征したときのことだ。レッズは携帯電話会社が主催したカップ戦に出場し、アルゼンチンの名門ボカ・ジュニアーズと親善試合を行なった。当時、まだ僕は海外のサッカーを積極的に観るタイプではなかったけれど、もちろんボカのことは知っていた。サッカー界のスーパースター、ディエゴ・マラドーナがプレーしていたクラブだから。アルゼンチン王者に24回も輝き、'97年、'00年、'03年にはトヨタカップに優勝して世界王者になった名門だ。その南米の強豪相手に普段Jリーグでプレーしている自分の力がどれだけ通用するのか。僕はワクワクして試合に臨んでいた。

しかし、キックオフから1分も経たないうちに自分の甘さを痛感させられることになる。

ボカの選手たちはボールを失ったら、すごい気迫で奪い返しにくる。接触プレーのときにユニフォームを引っ張るのなんて当たり前で、Jリーグでは考えられないほど、ワンプレー、ワンプレーが激しく魂がこもっていた。おそらくボカの選手たちはスタンドに来ているスカウトに対して、自らの存在をアピールしてやろうと燃えていたのだろう。それは当然だ。もしアルゼンチンからヨーロッパのトップリーグに移籍できれば、収入が10倍にも100倍にもなりうる。わずかな可能性をも逃してはなるまいと、彼らは人生をかけてプレーしているように見えた。

待っていたら誰も声なんてかけてくれない。自分の未来は、自分の力で勝ち取るもんだ——。

僕はボカとの試合で、そんな単純なことに気がつかされ、アルゼンチンの選手たちとの意識の差に衝撃を受けた。どこか『観光気分』でピッチに立っていた自分がとても恥ずかしくなった。

結局、レッズは2対5で敗れた。

'93年の開幕以来、Jリーグが発展を続けてくれたおかげで日本のサッカー選手は自国にいながらにしてある程度の給料を手にし、多くのサポーターの方々の前でプレーできるようになった。それはそれでとても素晴らしいことなのだが、逆に国内リーグが成熟したことで強いハングリー精神を持つことが難しい環境になったという側面もある。日本にいたまま、その枠を超えた発想を持つのは容易ではない。

だが、少ないチャンスでも何かしらの形で異文化に触れられることがある。そこで何を感じるか、何を感じられるかが大事。自分の常識と違うものに出会ったときに、人は違和感を覚えて、拒否反応を起こしやすいものだ。だけど、そこで目を背《そむ》けてしまったら、発想を広げるチャンスをみすみす自分で潰《つぶ》すことになる。

あのボカ戦後、僕は海外移籍を本気で目指すようになったのと同時に、異文化のメンタリティを積極的に自分のなかに取り込むことを意識するようになった。

生まれた国が違ったり、環境が違えば、当然違う人間が形成される。世界にはいろいろな価値観がある。だからこそ、それを拒否することなく自分に取り入れ、成長の糧《かて》にしなければならない。

僕がヴォルフスブルクに移籍したときに、ドイツのサッカーにすんなり馴染《なじ》むことができたのも、チームメイトの考え方に拒否反応を起こすのではなく、自分のなかに取り込もうという意識を持てていたからかもしれない。

49

指導者と向き合う。

あまり「運がいい」という言葉を使いたくないのだけれど、小学校、中学校、高校時代の指導者に関してだけは僕は本当に運が良かったと思う。各年代に必要なことを教えてくれた3人の指導者に、抜群のふさわしいタイミングで出会うことができたからだ。

まず小1のとき、青島東サッカースポーツ少年団で、ひとり目の恩師に出会った。

実はこの少年団に入るまでには紆余曲折《うよきょくせつ》があった。僕が小1になって少年団に入りたいと言った当初、母親は「もっと大きくなってからね」と入団をなかなか認めてくれなかった。けれど、僕は「入れてくれないなら、入れてくれるまでご飯を食べない！」と自分の部屋にこもって、夕飯を食べることを拒否。子供なりの〝ハンガー・ストライキ〟だ（笑）。結局、あまりの僕の頑固さに母親が折れて、少年団入りを認めてくれた。

その青島東サッカースポーツ少年団の代表者を務めていたのが、大石巌《おおいしいわお》監督だ。

大石監督は消防署に勤務していて、1日出勤して2日休みということが多く、休日を利用してサッカー部を指導してくれた。大石監督はめちゃくちゃ厳しい監督で、練習という意味でもしつけという意味でも僕たちは徹底的に鍛えられた。

日が暮れると大石監督は自分の車をグラウンドに乗り入れてきてライトをつけて、その光を頼りにプレーする。その熱意に動かされて、保護者の車もライトの列に加わるようになった。サッカーの基本テクニックを叩《たた》き込まれたのも、この少年団時代。子供のときに基礎をきちんと教えてもらったおかげで、今の僕がある。

大石監督の指導でもうひとつ印象に残っているのは、休みの日の弁当はおにぎりしか認めないということ。理由は「休みの日まで親に手間をかけさせてはいけない」から。両親を敬《うやま》う気持ちも、教えてもらった。

青島中学校に進み、サッカー部に入ると僕は2人目の恩師・滝本義三郎先生に出会う。

滝本先生は静岡県の教員として、初めて上級コーチ（現在のA級ライセンス）を取得した指導者で、1990年に藤枝中学校をU-15全日本ユース選手権で全国優勝に導いた、地元ではかなり有名な先生だった。滝本先生の特徴はとにかく褒《ほ》めること。たとえミスになったとしても、チャレンジした勇気やアイデアをどんどん褒めて、「自由にプレーしろ」と言ってくれる。これによって、サッカー選手としての創造性が磨かれたと思う。

藤枝東高校に進学すると、3人目の恩師、服部康雄監督にさらに成長させてもらった。

服部監督は厳しさと自由をミックスした感じの指導で、普段は怖いのだけれど、練習でいいプレーをしたり、試合前になるとすごく褒めてくれる。また攻撃に関しては、個々のイマジネーションを大切にして、自由にやらせてくれることが多かった。僕のなかでは小学校時代と中学校時代に習ったことを融合させたような指導だったので、のびのびプレーすることができた。

結果として、僕は指導者に恵まれたが自分と合わないと感じる監督や先生に出くわすこともあったかもしれない。越境入学や転校をすれば話は別だが、基本的に自分から指導者を選ぶことはできない。学校で担任の先生が選べないように、こればかりは〝巡《めぐ》りあわせ〟なので、自分の力ではどうすることもできない部分がある。

それでも僕は、「運がなかった」とか「先生が悪い」とか、自分の実力以外のものに責任を押しつけるのは好きじゃない。どんなに相性が悪いと感じても、それはこちらの偏見や思い込みかもしれない。まずは自分から監督や先生の方に歩み寄って、相手のことを知ろうとすることが大事だ。

もちろん先生だって全知全能ではないので、知らないこともあれば間違うことだってあるだろう。そんなとき先生の悪い方に目を向けるのではなく、良い所を見るようにすれば、きっと信頼するきっかけが見つかり、いい関係を築くことができるはずだ。どんな指導者にもそれぞれの良さがある。それを引き出せるかどうかは、教えられる側の心構えにもかかっている。

第9章

誠を意識する。

50→56

50

自分の名前に誇りをもつ。

僕のスパイクには自分の名前の刺繍《ししゅう》が入っている。

誠《まこと》。

僕のおじいちゃんは男の子の孫が出来たら、「誠」という名前を付けたかったそうで、家族は僕の名づけでは一切悩んでいなかったらしい。もう生まれた瞬間から誠で確定だった。

今ではとても気に入っているが、子供の頃は自分の名前があまり好きではなかった。ありふれた名前だし、ちょっと古臭い感じがしたからだ。

明治安田生命の「生まれ年別の名前調査（男性）」によると、「誠」という名は昭和24年から僕が生まれた昭和59年まで、常にベスト10に入っていた。つまり昭和後期の定番ネームということ。そのうち18回は1位になっており、昭和47年から53年にいたっては7年連続で1位だった。

ちなみに昭和59年の名前ベスト10は、1位から順に、大輔、健太、誠、直樹、拓也、祐介、翔、雄太、和也、優だった。

しかし、僕が生まれた翌年から、「誠」の人気は急降下する。昭和60年、「誠」はベスト10から外れ、それ以降、二度とベスト10に返り咲くことはなかった。僕が物心ついた頃には、世間では「そういえば昔流行《はや》っていたよね」という名前になっていた。

流行遅れ。なのに、同年代にはいっぱいいた。幼稚園でも小学校でも、まわりに「誠くん」がたくさんいて、「マコちゃん！」と呼ばれても、誰のことだか分からないことが何度もあった。どうして、家族はこんなにありふれた名前にしたんだろう、と不思議でしょうがなかった。

小学校では校歌に「ま〜ことの 泉を 正しく くんで〜」というフレーズがあって、その「ま〜こと」というところで、友達がわざと大きい声で、しかも僕の方を見て歌ってきたりした。それがとても嫌だった。このフレーズをいまだに憶《おぼ》えているということはよっぽど嫌だったのだろう。

けれど中学生になり、高校生になり、年齢を重ねていくと名前に込められた「想い」にだんだん気がつき始めた。

嘘《うそ》をついてはいけない。

人にやさしくできる人間になりなさい。

常に誠実でいなさい。

子供の頃から両親やおじいちゃんに言われ続けてきたことのすべてが、「誠」という一文字に凝縮《ぎょうしゅく》されていたのだ。

いつしか僕は自分の名前が大好きになり、常にこの名前を意識して行動するようになった。

日々の生活や人間関係のなかで、何かちょっとでも迷うことがあったら、「どちらの方が『誠』か」と自分に問いかける。もちろん、それにとらわれすぎてもよくないけれど自分の判断基準、行動指針のひとつにしている。

世間では、すたれてしまった名前かもしれない。けれど僕は自分の名前に誇りを感じている。

51

外見は自分だけのものではない。

「何だよ、その髪型は?」

あるとき、服部康雄先生(元・藤枝東高校サッカー部監督)に久しぶりに再会したときに苦笑いを浮かべながら、こう声をかけられた。

当時、僕は生涯最初の『ロン毛で茶パツ』だった。

ちょうどその頃は浦和レッズでレギュラーに定着して、プロとしての手応《てごた》えを得始めた時期だった。いま思い返せば週末に夜遊びをしていた時期と重なっている。特に茶パツへの憧《あこが》れもなく、髪を染めたことに大した理由はなかった。心のどこかでカッコ良く見せようとか、女性ファンに注目されたいとか、自信のなさをヘアスタイルでごまかそうとしていたのかもしれないが。

当時はそういう自分の弱さや甘さに気づかず、プレーもうまくいっていたし、みんなで遊びに行くことも楽しかったので茶パツにすることにも何の疑問も抵抗もなかった。まわりの若手選手も、いろいろな髪型をしていたし、むしろ人に見られるプロなんだし、若いのだから髪の色で目立つのもありだ、という思いもあったくらいだ。

ただ冒頭の一言で僕は我にかえった。服部先生が心底がっかりしているのが伝わってきた。高校時代、服部先生は常に清潔な身だしなみを生徒に求めていて、ヒゲがちょっとでも伸びていたり、髪の毛が耳にかかるだけでも嫌がっていた。それが教え子に久しぶりに会ったら、茶パツになっていたのだから、「高校時代の教えはなんだったんだ」と失望しないわけがない。僕は先生の願いや教えを踏みにじったようで、申し訳ない気持ちでいっぱいになった。

すぐに美容院に行った。長かった髪をばっさりと切り落とし、色を黒に戻した。見た目は当然地味になった。けれどこの髪型が自分には合っていると思った。

少し経ってから服部先生から電話がかかってきた。

「髪型いいじゃないか!」

先生の嬉しそうな声を聞いたとき、自分の選択は間違っていなかったと嬉しくなった。

以来、基本的に僕は短髪にすることを心掛けている。いや心掛けているというよりは、むしろ伸びてくるとうっとうしくなるくらいだ。

ドイツに来たばかりの頃は言葉も通じない状態で美容院に飛び込むのが怖くて、髪が伸びてしまうこともあったけれど、だんだん生活に慣れ、ハンブルクとデュッセルドルフに行きつけの美容院がある。

プロサッカー選手にとって、外見はアピールポイントのひとつかもしれない。他にも眉毛を整えたり、ピアスをしたり、タトゥーを入れたりすれば、一見「カッコいいサッカー選手」にはなれる。子どもたちやサポーター、そして女性に支持してもらうためにも、外見は重要なのかもしれない。

また、カメラマンの人によると、ロングヘアだと写真を撮ったときに躍動感《やくどう》があるという話も聞いたことがある。確かに元オランダ代表のダービッツの写真は独特のドレッドヘアが揺れて、カッコいいなぁと思ったこともある。ヘアスタイルに正解はないし、それぞれの考え方によって、ピッチ上ではいろんな髪型があっていい。みんな一緒ではつまらないし、もちろん金髪もありだ（笑）。

ただ僕はとても不器用だ。サッカーとは直接関係ない装飾によって、余計な自意識が芽生《めば》えてしまい、心が寄り道をしてしまう気がするのだ。なんてことはない、今はもう面倒くさいというのもあるし、もともと和顔なので黒髪が一番似合うというのがあるのだけれど……。

自分のルックスをアピールすることよりも、まず周囲にいる身近な人たちがどんな思いで見ているか、ということの方を大切にしたい。なぜなら、きちんとしていることで嫌な気分になる人は誰もいないのだから。

僕にとって、外見は自分だけのものではないし、外見でアピールする必要もない。存在はピッチでアピールするだけだ。

52

眼には見えない、土台が肝心。

僕は日本に帰国したときに、浦和レッズ時代にお世話になったアスレチックトレーナーの清水さんに身体を診てもらう。現在、清水さんは品川のスポーツマッサージ診療所に勤めていて、アスリートだけでなく、ピアニストなどにもマッサージを行なっている。レッズの前にはプロ野球の広島カープと契約していたそうだ。

ドイツから帰国したときはバタバタしていて予定が読めず、清水さんに予約するのはたいてい当日になってしまう。それでも嫌な顔ひとつせず、丁寧に体をメンテナンスしてくれる。

清水さんに初めて会ったのはレッズに加入してすぐのこと。「ケガをしない身体作り」が清水さんの方針で、練習中もじっと選手たちの動きを観察している。たとえば、かかとを触るような仕草を少しでもしたら、「スパイクが少しきついんじゃないかい？　あそこの店に行けば自分に合った中敷きを作ってくれるよ」と教えてくれる。チームの中で最も選手の健康を気遣《きづか》ってくれる存在だった。

高校を出たての僕の身体に触れると、清水さんはすぐに問題点を見抜いた。清水さんは言った。「背中側の筋肉が硬いな。これでは前とのバランスが悪くて、ケガをしやすくなってしまう。背中の筋肉を柔らかくすることを意識していこう」

身体の一部分だけが硬いと、ちょっとした動きでバランスが崩れやすく、特定の場所に負荷がかかり、ケガの原因になる。実際、僕はハーフタイムに腰が痛くなることが多かった。

清水さんは「ケガをしない身体を作れるかどうかは、1年目にかかっている。大ケガをしてからでは手遅れ」と言う。もし背中の硬さが体質的なものだったら治らないが、そうでなければマッサージによって改善できる。背骨は身体の中心線だ。もし背骨のまわりがフレキシブルになれば、もっとプレーに切れが出るかもしれない。僕は清水さんを信じて課題に取り組んだ。

そして、3年目に入った頃、ガチガチだった僕の背中は柔軟性を持つようになっていた。バランスが良くなって、ドリブルのスピードもアップしたように感じた。捻挫《ねんざ》もしたことがないくらいケガに強い身体になったのは清水さんのおかげだ。本当に感謝しても感謝しきれない。


また、清水さんは身体だけでなく、心の健康状態も大切にしてくれる。

あるとき、清水さんが「みんなで陶芸をやらないか」と選手たちに声をかけた。清水さんの顧客に有名な陶芸家がいて、その縁を生かして選手をリフレッシュさせようと思ったそうだ。この提案に僕はワクワクした。陶芸は以前から興味があったし、ひとりで静かに轆轤《ろくろ》を回すことはメンタルにも好影響だと思っていたからだ。

ただ僕はタイミングが合わなくて、別の日にひとりで行った。埼玉から、車を走らせて鎌倉の方まで行った記憶がある。

現地で清水さんと合流し、轆轤の前に座った。お題は湯飲み茶碗。陶芸は初めての経験だったけれど、基礎だけ教えてもらって、あとは思い思いに茶碗と向き合った。

僕はあまり深く考えず、見た目は悪くなってもいいから、基本どおり丁寧に作ろうと思った。粘土を練り、轆轤をまわして、器の形を整えていく。それができたら次は器の支えとなる部分だ。陶芸用語ではこれを「高台《こうだい》」という。わかりやすく言えば、湯飲み茶碗の脚にあたるところだ。ひも状にした粘土で円を作り、器の底につける。はみ出た部分を削れば完成だ。

茶碗を作り終わったら、コップを作ってみたり、サラダを入れられるようなボウルを作ってみたり、いろいろな器にチャレンジした。終わってみて感じたのは、どうやら僕には陶芸のセンスはないらしいということだった。しゃれっ気がなく、あまりにも平凡な作品ばかりになってしまった。

ただし、あとで清水さんに聞いたところ、僕の茶碗を見て、陶芸の先生はこうつぶやいたそうだ。

「芯がしっかりしている。ぶれない子だね」

陶芸の先生には、サッカーの知識はまったくない。

不思議に思った清水さんが「なぜそう思ったんですか？」と聞き返すと、先生は、

「高台を見てほしい。飾り気がないけれど、すごくしっかりしている」

と答えたそうだ。高台は茶碗の底にあり、気にしなければほとんど目につかないような部分だ。

僕からしたら高台という言葉すら知らず、完全に買いかぶりだと思う。それでも自分の作った物

が褒《ほ》められたのは嬉しいことだった。

はたして僕が本当に芯がしっかりしているかはわからないが、陶芸の先生に大切なことを教えてもらったような気がする。

外からあまり見えない土台こそ大事にしなさい、と。

またいつか、清水さんと一緒に陶芸にチャレンジしたいと思っている。

53 正論を振りかざさない。

中学3年生のときのことだ。サッカー部の同学年のメンバーはすごく仲が良くて、いつもみんなで騒いでいた。しかし、ある日突然、リーダー的な存在だった人が急にみんなから話しかけてもらえなくなってしまった。いわゆるシカトだ。

自分だってクラスメイトをからかって、人を傷つけてしまったことがあるから、偉そうなことは言えない。けれど、みんなでひとりを無視するなんて絶対におかしい。僕は自分で良し悪しを判断せずにまわりに流されるのが大嫌いなので、「みんながしているから、自分もする」ということだけは絶対にしたくなかった。僕は周囲とは逆に、あえてその子と一緒に行動するようにした。

だが、当人からしたら他の全員から無視されるのだから、ひとりに話しかけられたところで状況は変わらなかったのだろう。彼は「サッカー部を辞める」と言い出した。

ふざけるな。僕は絶対にイジメを止めさせてやろうと思った。

チームメイトを問いただすと、「無視しようぜ」とまわりに言い始めた首謀《しゅぼう》者が2人いることがわかった。僕は校舎の裏に2人を呼び出して、怒鳴りつけた。

「オマエらのせいで、チームの仲がおかしくなったんだ！　それを分かっているのか。オマエたち2人がサッカー部を辞めろ！」

当時、サッカー部のキャプテンを務めていた僕はサッカーのことになると熱くなって、自分が正しいと思うことは絶対に曲げないところがあった。練習後に校庭のグラウンドを整える〝とんぼかけ〟をやらないチームメイトがいたときは、胸倉をつかんで引っぱってやらせたこともあった。当然、相手も嫌がるので殴りあいのケンカになる。今考えれば随分と強引だったと思うけれど、最後は相手にも納得してもらえた。

僕が怒鳴りつけた後、2人とすぐにイジメていた子のところに行って、事態を収束《しゅうそく》させた。

こう書くとカッコいい話みたいに聞こえるかもしれないけれど、僕はこの一件で反省していることがある。イジメを止められたのは良かったが、あまりにも感情的に行動してしまったからだ。一方的に怒鳴ったりせず、じっくり話し合うなど、もっと他の方法があったのかもしれないのに。

孔子はこう言っている。

「直《ちょく》にして礼《れい》なければ即《すなわ》ち絞《こう》す」

正義感が強すぎて、真面目《まじめ》すぎると、かえって周囲を絞《し》めつけてしまう、という意味だ。この言葉を初めて見たとき、僕はドキリとした。まさに自分のことを言われているような気がしたのだ。

「誠」という名に恥じない生き方をしたいという考えに迷いはないし、これからも続けて行くつもりだ。だが、いくら自分が正しいと思ってもそれを人に強要してしまったら誤解を招くこともある。人にはそれぞれ価値観があって、絶対的な正解なんてない。何かを伝えるときにはまずは相手の気持ちも想像しなければいけない。

以来、正論を振りかざしたら、かえってまわりに迷惑をかけてしまうことがあるということを肝《きも》に銘じている。

54

感謝は自分の成長につながる。

浦和レッズ時代の事だ。診療台にうつぶせになって、アスレチックトレーナーの清水さんに指圧してもらっているときに、こんなふうに褒められたことがあった。

「長谷部くん、君は僕の家族のことまで、よく覚えていてくれるなあ。若い選手はなかなか人の家族のことまで関心を持たないものだよ。僕の子どもたちのことまで思いやってくれる気持ちが本当に嬉しい」

清水さんに言われるまで気がつかなかったけれど、確かに僕はお世話になっている人に会うとき、その方の家族にまで思いを巡らせることが多い。

たとえば、清水さんにはアイちゃんという娘さんと、コウちゃんという息子さんがいる。清水さんに会う前には、自然と「2人は元気かなぁ」とか、「コウちゃんは乗馬を始めたと言っていたけれど、どれくらい上達したかなぁ」と気になる。だからマッサージを受けているときに、ついアイちゃんやコウちゃんのことを聞いてしまうのだ。

これはきっと僕が子どものときから両親、姉と妹、祖父母と一緒に大勢で生活し、家族のなかで過ごす時間が長かったことが影響しているのだと思う。

僕にとって、家族は一番近くで助けてくれて、元気づけてくれる存在だ。まわりの人たちにとっても同じように大切なはず。もし周囲の人たちに対して、心から感謝する気持ちがあれば、彼らの家族のことまで気になるのはすごく自然なことだと思う。

冒頭、清水さんが僕に言ったことは、アイちゃんとの何気ない会話に起因している。

あれはレッズのある選手の結婚式後のこと。車に乗って帰ろうと駐車場に行ったら、アイちゃんが駐車場でひとりで立っていた。そのときアイちゃんは20歳くらいだったと思う。僕は話しかけて、「最近レッズの試合は観に来ている？」などと世間話をした。あとで清水さんに聞いたところ、アイちゃんはそれがすごく嬉しかったそうだ。僕は想いを言葉にするのがうまい方じゃないけれど、普段感じている「感謝の気持ち」をそういう形で伝えられたのなら、僕も嬉しい。

また、ワールドカップでパラグアイに敗れ、帰国が決まったときのことだ。選手同士で話し合い、代表チームのスタッフ全員に、サインとメッセージを入れたユニフォームを渡そうということになった。

ホテルの食堂の大きなテーブルに、日本代表のユニフォームをずらっと並べて、選手全員がサインとメッセージを書き込んでいった。一文字、一文字に感謝の気持ちを込める。チームとしてみんなで行なう最後の共同作業になると思うと、ペンを握りながらも感謝の気持ちが込み上げてきた。チームメイト、監督、スタッフ、事務所の人たちなど、まわりには支えてくれる人たちがたくさんいる。その人たちを支えているのはそれぞれの家族だ。みんなの助けがあってこそ、僕はピッチに立つことができている。

だから僕は関わる人たちだけでなく、その人たちの家族のことも思いやれる人間になりたい。

両親の誕生日には必ず電話をしたり、プレゼントを贈るので、友達からは「オマエはマメだよな」と言われることがある。けれど本当に感謝する気持ちがあれば、お世話になっている人のために何かすることを面倒に思ったりはしないはずだ。少しでも時間や労力を取られるなあと感じたら、それは心から感謝していない証拠かもしれない。

感謝する能力は意識次第でいくらでも伸ばせるし、それに感謝は自分のためでもある。もし自分が感謝の気持ちを忘れなければ、まわりがどんどん自分にポジティブなエネルギーをくれるはずだ。周囲から助けてもらえる選手と助けてもらえない選手では、成長スピードに差も出る。少し観念的だけれど、関わる人すべてを幸せにするつもりで働けば、その気持ちは結果として還《かえ》ってくる。僕はそう信じている。

55

日本のサッカーを強くしたい。

ドイツに移籍して以来、何をするにしても「日本」を意識する機会が増えた。

たとえばドイツ語の先生からレッスンを受けるときも、日本の文化と歴史についてドイツ語で説明しなさい、というお題が出る。ドイツ語で発言する以前に、何を話せばいいのか途方にくれることがある。自分があまりにも日本について知らなすぎるのだ。

どうやら、こう感じるのは自分だけじゃないらしい。

海外でプレーする選手の多くが、移籍をきっかけに日本をより深く知りたいと思うようだ。日本代表の遠征のときに、本田（圭佑）のカバンのなかに白洲《しらす》次郎《じろう》さんに関する本が入っていたのを見て、思わず「オマエもそういう本を読んでいるんだ」と声をかけてしまった。自分も戦後の混乱期にGHQと渡り合った白洲さんの生涯に興味があって、同じ本を読んでいたからだ。

ドイツでプレーして約半年を過ぎたあたりから、自分が好むにせよ、好まざるにせよ、日本サッカーのイメージを背負っていることに気がつき始めた。もし精彩を欠いたプレーをしたら、「やっぱり日本のサッカーはダメだ」と言われ、逆に勇敢なプレーをしたら「日本もやるじゃないか」となる。おおげさに書くと、僕の評価＝日本のサッカー。これだけサッカーが浸透している国だと、ドイツに住んでいる日本人にまで迷惑がかかることもあるそうだ。これは人から聞いた話だが、ドイツ在住の日本人がレストランやカフェでちょっかいを出されることもあるという。想像するに、「昨日の長谷部は駄目だったなぁ」……かな。そこまであからさまじゃないにしろ、ドイツにおける日本のサッカー、そして広い意味での日本人という国民へのイメージをも背負っている。

だからこそ、僕は絶対に日本サッカーをドイツ人にも認めさせてやる、という思いを抱きながらプレーするようになった。ドイツのチームでドイツの試合に出ながら日本を強く意識するのだ。

それは周囲にも伝わった。以前、日本代表の長友佑都、岡崎慎司や矢野貴章から、次のような言葉を言われたとき、僕は心から嬉しかった。

「ハセさんはドイツに行ってからプレーが変わった。それを見て自分も海外に挑戦したくなった」

ワールドカップ後、長友はイタリアのチェゼーナに移籍し、その後、名門インテル・ミラノに移籍した。貴章はドイツのフライブルク、岡崎はドイツのシュツットガルトにやってきた。

ヨーロッパサッカーにおける日本人選手の歴史を遡《さかのぼ》ると、1977年から1986年まで奥寺康《おくでらやす》彦《ひこ》さんがケルンやブレーメンでプレーして、日本にも優れたフットボーラーがいることをヨーロッパの人たちに知らしめた。その後、カズさん（三浦知良）が'94年にイタリアのジェノバに移籍し、'98年に中田英寿《なかたひでとし》さんが同じくイタリアのペルージャに行き、2000年代になると稲本潤一さん、小野伸二さん、中村俊輔さん、高原直泰《たかはらなおひろ》さんら日本代表の選手たちが次々にヨーロッパに旅立って行った。そういう先輩たちの積み重ねのおかげで、僕のような、当時代表に定着していなかった選手でも、ヨーロッパに移籍できる時代になった。

これからはあとに続く若い選手たちが、日本サッカーをさらに成長させる番だ。自分もその中で少しでも力になることができれば、これほど嬉しいことはない。

今、ブンデスリーガ1部では、矢野貴章（フライブルク）、内田篤人（シャルケ）、香川真司（ドルトムント）、槙野智章《まきのともあき》（ケルン）、岡崎慎司（シュツットガルト）、僕の6人がプレーしている。彼らはブンデスリーガで勝敗を争うライバルであると同時に、ともに日本サッカーを牽引《けんいん》していく仲間でもある。

プロサッカー選手は外から見ると華やかな職業に見えるかもしれないけれど、当然楽しいことばかりではない。ケガ、レギュラー争い、メディアからの批判、選手寿命との戦いなど、精神的に追い詰められる要素がたくさんある。

しかし、それでもなぜ僕がサッカーを生業《なりわい》にしているかと言えば、サッカーが好きなことは当然だが、先ほど触れた「みんなで日本サッカーを強くしていく」ことに使命を感じているからだ。同じ目的を持っている仲間がいて、その仲間とともに前に進もうとしているとき、自分でも驚くような力が体の奥底からわきあがってくることを、ブンデスリーガやワールドカップで経験させてもらった。僕にとって、これから日本サッカーがどうなるかに思いをはせることほど、ワクワクすることはなく、その大きな波の中に自分がいる幸せを感じている。

56

笑顔の連鎖《れんさ》を巻き起こす。

試合のあと、練習のあと、いろいろなことを記者の方に質問される。練習はどう？　コンディションはどう？　新しい選手とのコンビネーションはどう？　こういった質問にはスラスラ答えられる。ただ、サッカー以外の長谷部誠という人間や人格に関する取材に答えるのは、なかなか難しいものだ。よく聞かれるのは、「長谷部さんにとって、サッカーとは何ですか？」という質問だ。

僕は子どもの頃から、サッカーばかりに時間を費やしてきた。いろいろな困難や競争はあったけれど、今この仕事でご飯を食べている。サッカーが仕事になり、そして、サッカーを通じて人間性や価値観が形成されていることは、疑いの余地もない。

「サッカー＝仕事」。僕が一番必要だと思っている「情熱」を持って仕事に取り組めている。そして、24時間のすべての判断のベースはサッカーだ。好きなことが仕事であり、そして、それが当然ながらまったく苦ではない。正確に言うと苦はあるけれど、その苦さえも愉《たの》しむことができる。

だから、今、サッカーとは何ですか？　と聞かれたら、「仕事。愉しい仕事」と答える。「愉しむ」という言葉は捉えどころがないが、僕がサッカーを愉しめば、それを見てくれる人も愉しんでくれる。自分だけ思うままに生きて、愉しむというわけではない。万人を説得できる答えではないかもしれないが、つまりは人生を愉しむ連鎖を生みたいということなのかもしれない。

僕がサッカーをするのは、前の項で書いた日本を強くするということと共に、「人が喜んでいる顔を見たい」ということもある。これはきれいごとに聞こえるかもしれないけれど、日本代表や浦和レッズのときにあれだけ多くのサポーターの方々が応援してくれて、僕らが勝つことによって喜んでくれた。そうなれば、その喜んでくれた人の家族や友達にもそのポジティブな空気が伝達されていく。

これは別に今のクラブチームのサポーターが物足りないというわけではなくて、同郷のサポーターに応援してもらえると、より力が発揮できるというナショナリズムなのかもしれない。このことに気づいて、このように明確（？）に整理できたのがワールドカップだった。僕自身は選手として結果には満足できていないけれど、日本国中が元気になって、喜んでくれたのは肌で感じられた。

日本を元気にしたい、なんておこがましくて言えないけれど、自分が愉しくかつ必死に研鑽《けんさん》を積むことで、多くの人が喜んでくれる。

笑顔の記憶。それこそが僕の仕事に対するモチベーションをかきたててくれる。

最終章　激闘のアジアカップで学んだこと。

キャプテンとして日本代表を牽引し、AFCアジアカップ2011で優勝に貢献した。

心が折れそうになる瞬間を何度も味わった。

あと一歩で足が止まりそうになったときもあった。

２０１１年1月、カタールで開催されたアジアカップにおいて、日本代表は2度の退場、2度の延長戦、1度のＰＫ戦を経験した。1試合を除いて、すべてスコアは1点差以内。一歩間違えれば、早期敗退という結果に終わっていた可能性だってあった。

けれど、そういうぎりぎりの戦いを乗り越えてトロフィーを手にできたことで、チームとしても、個人としても確かな自信をつかむことができた。そして何より、たくさんの方たちに応援してもらっていることを、あらためて感じさせてもらうことができた。

日本代表にとって、4度目のアジアカップ優勝。これは大会最多記録だ。

今大会、僕は南アフリカ・ワールドカップに続き、キャプテンマークを巻かせてもらった。ただし、今回はやるべきことがほとんどなかったワールドカップとはまったく違った。僕より学年が上の選手はヤットさん（31歳・遠藤保仁）、松井《まつい》さん（29歳・大輔《だいすけ》）、前田《まえだ》さん（29歳・遼一《りょういち》）、岩政さん（29歳・大樹）、今ちゃん（28歳・今野泰幸）、エイジ（27歳・川島永嗣）の6人だけ。チーム内では年長者の位置づけであった。ザッケローニ監督はチームキャプテンとゲームキャプテンという区別もせず、すべての場面において僕にはキャプテンとしての役割が与えられた。

終わってみたら今回も年上の先輩たちに何度も助けられたし、キャプテンとしては何もやっていないという感覚はワールドカップのときと同じだけれど、大会期間中は自分なりにいろんなことを考えて、いろんなことをやりくりしながらキャプテンという役割に向き合った。そして、その経験のなかから新たなものを学ばせてもらったことを、この最終章で書こうと考えている。

ザッケローニ監督の細心。

アジアカップで自分がキャプテンを務める——。

それが初めてわかったのは初戦のヨルダン戦の前日、日本代表の広報の方から「監督と一緒に会見に出るぞ」と言われたときだった。ザッケローニ監督が「会見にはキャプテンが出るべき」と考えていることはすでに伝え聞いていたので、自分がキャプテンなんだな、と意識した。ただし、それはあくまで自分の推測にすぎず、監督から直接言われたわけではなかった。

前日会見にザッケローニ監督と向かった。壇上に上がり、僕は監督の右隣に座る。一瞬にしてカメラのフラッシュに包まれた。会見場は記者の方たちでびっしりと埋まっていた。会見がスタートすると前列にいた記者の方がパッと手を挙げて聞いた。

「今日、長谷部選手が会見に同席しているということは彼がキャプテンという理解でいいか?」

ザッケローニ監督は、力強く答えた。

「彼にキャプテンマークを渡したのは精神面、技術面でキャプテンの重責を担うのに最もふさわしいと考えているからだ」

真横にいる監督から、こんなストレートな表現で自分のことを良く言ってもらえて、どきっとした。監督によっては公の場で選手を褒《ほ》めることをしない人もいる。なのに、ザッケローニ監督はすぐ横に当事者がいるのに、「おまえに任せたぞ」というメッセージを送ってくれた。気恥ずかしさを覚えると同時にすごく嬉しかったし、キャプテンとしての責任感が押し寄せてきた。

あえて恋愛でたとえるなら、みんなの前で「あなたが好きです！」と言われるような感覚だろうか。ザッケローニ監督は仕事にすべてを捧げる実直な人で、ちょっと日本人に似ているかも、と思っていたけれど、やっぱりイタリア人的なストレートな表現方法も併せ持っているんだと、感じた。

試合前日には必ず公式記者会見が開かれる。そのたびに僕は監督とワゴン車に乗ってホテルと会見場を往復した。時間にすれば片道20分くらい。車内ではサッカーとはまったく関係ない世間話がほとんどだったけれど、ときにはチームについて話すこともあった。

あれは準決勝の韓国戦前日のこと。スタジアムでの公式練習が終わり、監督と選手を乗せたバスが宿泊しているホテルに到着した。僕はバスの一番後ろの真ん中に座っていたので、最後の方に降りて行った。するとバスの外でザッケローニ監督が待っていた。

「ハセ、ちょっといいか？」

監督は通訳を通して、僕に意見を求めてきた。

「チームの雰囲気はどうだ？　このタイミングで（監督の私から）チームを引き締めるような言葉をかけた方がいいだろうか？」

監督は日本人を知ろうとする意欲がすごく強く、どんな言葉を口にすべきか常に気を遣っているところがある。このときも、チームの状況を知ったうえで、何を言うか決めようとしていたのだろう。

実は初戦のヨルダン戦のキックオフ前、日本のロッカールームの雰囲気は笑い声が漏れるなど、どこか集中しきれていない部分があった。ロスタイムに同点にし、ギリギリ負けなかったという試合後、監督はチーム内の雰囲気を問題視し、「アジアカップを戦う準備ができていたのか？」と強い口調で問いただした。韓国戦を前にして、監督はそのことが頭をよぎったのだと思う。僕は、「今のチームの雰囲気なら、言わなくても大丈夫だと思います」と答えた。

ただ、部屋に帰り、あらためて考えてみると3日前のカタール戦が2度もリードされながら、逆転する劇的な展開で、どこかホッとしている部分がチームにも自分にもあるような気がした。次の相手は大会屈指の強豪国・韓国だ。気を引き締める意味でも、怒るのではなく、もう1回集中してやって行こうと訴え、空気を整備するのは必要なことのように思った。

夕食時、僕は集合時間の少し前に部屋を出た。そして食堂の入り口で監督が来るのを待つことにした。

「監督、さっきは何も言わなくてもいいんじゃないかと思いましたが、チームの雰囲気をまとめる意味でも、『今日の夜から、また集中して準備して行こう』と言うのはいいかもしれません。もちろんこれは僕が決めることではないので、何を伝えるかは監督が決めてください」

監督は「分かった」と言って、僕の肩を叩いて食堂に入っていった。そして食事の後に、チームのみんなに「もう1度集中しよう」と呼びかけたのだった。

事前にキャプテンである僕に1回確かめたことについては、すごく言葉を大事にする監督だと思ったし、日本人を理解しようとする情熱をあらためて感じた。そして何より自分を信頼してくれているということがヒシヒシと伝わってきた。こんなにコミュニケーション能力に優れた監督は僕にとって初めてかもしれない。

準決勝で韓国、決勝でオーストラリアに勝って優勝した夜、チームはホテルで祝勝会をひらいた。だが、僕を含めたヨーロッパでプレーする選手の何人かは深夜のフライトに乗るため、すぐに空港に向かわなければいけなかった。

出発前、ザッケローニ監督のところに挨拶に行くと、こう声をかけてくれた。

「キャプテンとしてチームをよくまとめてくれた」

今後、誰がキャプテンマークを巻くかは分からないし、誰が巻いてもいいと思っているけれど、日本代表の勝利に向けて、自分ができることをやって行きたい。そうあらためて認識した大会であった。

「目を見て」話せば、思いは伝わる。

予選リーグ2試合目のシリア戦の2日前の夕食後のことだ。数人の選手で集まり、カフェで話す機会があった。このときの面子は、ほとんどがワールドカップ経験組だった。みな表情がどこか冴えない。初戦のヨルダン戦をギリギリ引き分けで終え、シリア戦は勝ち点3をもぎとらなければ窮《きゅう》地《ち》に追い込まれるという重圧があったのかもしれない。誰もがチームの雰囲気に対する危機感を抱いていた。

「このままではまずい。1回、ミーティングした方がいいのではないか」

ワールドカップにおいて、僕たちはチームの結束が何より大きな力になることを実感していた。その経験から出た自然な発言だった。

「いやいや、代表なんだから、それぞれ個人個人の自覚を促した方がいいよ」

「そうだ。自分で気がついてやらないと。やらせてもしょうがない」

「でも、このままだと絶対優勝できないよ」

ミーティングの実施には賛成の声も、反対の声もあった。ただし、みんなが共通して感じていたのは、「自分たちには時間がない」ということだった。最後はミーティングをやろうということで全員が一致した。

「オレがみんなに伝えるよ」

と、その場にいた数人に伝えた。もしかしたら、みんなに意見をぶつけることで気まずい空気が流れてしまうかもしれない。若手の選手との間に変な溝《みぞ》が生まれてしまうかもしれない。でも、勝つためなら、それも致し方ないと考えていた。

僕は、ザッケローニ監督に廊下で会ったときに許可を求めると監督は「ぜひやってくれ」と言ってくれた。

翌日、僕はみんなが目にする予定表のホワイトボードに、

「（全体ミーティングの）15分前から選手ミーティング」

と書き込んだ。監督が選手を集めて話す全体ミーティングの前にその部屋を借りて、選手のみで話し合うのが一番いいと思ったからだ。

選手が続々とミーティングルームに集まってきた。

本来は監督が前に立って話すための部屋であるため、席はすべて正面に向かって並んでいる。僕はまるで演説するかのように、みんなの前に立った。僕はこれまで人前でのスピーチはほとんど経験したことがない。いったいみんなの前で何を話すか。前夜、ホテルの部屋にあった紙に何を伝えたいかを箇条書《かじょうが》きにして整理した。選手は互いに対等な関係だ。上から目線にならないように言い方を何度も推敲《すいこう》した。もちろん、メモを読みながらじゃ伝わるわけがないので、内容を頭の中に叩

き込んだ。

　このとき、特に意識して心掛けたことがあった。

「絶対に目を見て話す。目線を外さない」

　ということだった。自分が普段、選手としてミーティングを聞くときに監督の気持ちを伝えるうえで一番大切なのは、目を合わせることだと感じていた。目を合わせない監督もいるが、それだと気持ちが伝わってこない。だから、いくらみんなの目線が突き刺さっても絶対に目をそらさないようにしようと思っていた。

　僕は一人ひとりの目を順番に見るようにして言った。特に伝えたかったのは集中している選手のペースを乱すような発言をする若手の姿が目についたため、そのことについてはどうしても言いたかった。

「アジアカップを取りたいっていう気持ちを、もう1回、全員で同じ方向に持って行こう。今のまじゃ絶対にアジアカップは取れない。まず練習で厳しさが足りない。試合へのアプローチの仕方もそうだ。2日前から集中して入り込むやつもいるし、逆に試合直前にスイッチを入れるやつもいる。人それぞれだから別にどんなやり方だっていい。別に楽しくやってもいいが、もっと周りに気を遣うべきなのではないだろうか。やるときはやるという、オンとオフを使い分けろ」

　一部の若い選手たちはA代表の経験が少なく、代表の空気に慣れていないのは分かっていた。彼らがユース年代の日本代表でやってきたやり方をそのまま続けようとするのも理解できる。さらに見方を変えれば、僕たち年長者が若手がピリッとするような緊張感を、チームに作り出せていないということでもあった。反省点はお互いにある。それを踏まえたうえで僕は話を続けた。

「アジアカップのような短期決戦では総力戦になるはずだ。誰もが『自分も日本代表の一員なんだ、絶対に自分も試合に出るんだ』っていう自覚を持ってやってほしい。僕はジーコさん、オシムさん、岡田（武史）さんのもとで代表を経験したけれど、今回ほど緊張感のないチームはない。緊張感があればいいっていうことではないけれども、ふざけるのと明るくやるのは紙一重だ。若い選手が明るくやるのはすごくいいと思うし、その持ち前の明るさをなくしてほしくはない。けれども、試合や練習でふざけるのとは区別してほしい。これまでは年長者が緊張感を作り出してくれていたから、今、緊張感を作れていない原因は自分たちにもある。自分の非も認める。今後はそれを意識してやっていこうと思うから、みんなも協力してほしい」

おそらく10分くらい話し続けたと思う。話を終えると、僕は選手をその場で思いついたままに指名して、意見を言ってもらった。ヤットさん、松井さん、エイジ、長友（佑都）、槙野（智章）……。いろんな世代の選手が、それぞれに意見を言ってくれた。

みんなが納得したわけではないと思うし、こちらが一方的に言ってしまった部分もあったけれど、「絶対に優勝する」という目標を、全員で共有することができたミーティングになったと僕個人は感じている。

ミーティングが終わったあと、ある選手から声をかけられた。

「よくみんなの目を見てしゃべれるな。当てられるかと思って、ずっと目をそらしてたよ！」と。

僕は「そらすやつには当てねぇーよ」とふざけながらも、目を見て話したことに気がつき、それを理解してくれるチームメイトの存在をありがたく感じた。

威厳なきキャプテンを若手が支えてくれた。

ミーティングで強く言った分、若手選手との間に距離感が生まれる恐れはあった。先ほど、「多少の溝は致し方ない」と書いたが、やはり溝などない方がいい。僕はよく真面目そうだとか、堅いと言われるので、あのミーティングでその印象は強まってしまったかもしれない。

「堅すぎるのもよくないな。今までどおり、サッカーから離れたら、ふざけたり、冗談を言って空気を和《やわ》らげたいな」

そう思っていた。だが、それは杞憂《きゆう》だった。

オフの時間になると、僕は普通のキャプテンではありえないぐらい、年下の選手にからかわれた。

たとえば、こんなギャグが一部の若手で流行《はや》った。食事のとき、まず一人が、

「お茶碗に米粒残っているじゃないか。最後の一粒までしっかり食べろ！」

と言う。するとその言われた選手が、

「おまえは、ハセベか！」

と突っ込むのだ。まるでタカアンドトシの「欧米か！」のツッコミのように……。つまり、「小うるさい、真面目＝長谷部」というのをネタにしているのだ。

エレベーターに若手たちと乗り合わせると、ふざけて、

「おい、2日前から集中している選手がいるんだから、しゃきっとしようぜ」

と言い始める。僕はこの本で書いてきたように、試合直前にスイッチを入れるタイプなのに、完全にミーティングの話をネタにされているのだ（翌日、締めときました）。

こんな堅物の年上に対して、小うるさいと思わず（あ、思っているかもしれないか）、オフの時間には「ハセベか！」と突っ込んでネタにしてくれる若手たちに感謝したい。彼らが距離を縮めてくれたことで、僕はアジアカップの期間中、とてもキャプテンをやりやすかった。

審判に伝えたかった思い。

今回、中東のカタールで開催されたアジアカップは審判との戦いでもあった。ちょっとした接触プレーで反則を取られた。ハンドボールの五輪予選で話題になった「中東の笛」じゃないけれど、日本に不利な判定が多いように感じた大会だった。

特にひどかったのは、シリア戦でＰＫを取られたシーンだ。

それは僕のバックパスが弱かったために、長友とエイジがお見合いするような形になったことから始まる。かろうじてエイジがクリアしたものの、それを相手がひろってゴール前のＦＷにパス。飛び込んだエイジの手が相手の足を払うような形になって、ＰＫの笛が吹かれた。だが、そのときライン際の副審はオフサイドの旗をあげたのである。実際、映像を確認するまでもなく、相手ＦＷは明らかにオフサイドだった（※オフサイドということは、その後のプレーは一切関係なくなる）。にもかかわらず、イラン人のトーキー主審は自分の判定を曲げようとしなかった。日本の選手が取り囲んで抗議したが、一切耳を傾けようとしない。ついに副審もあげていた旗を下げて、オフサイド自体がなかったことになってしまったうえに、エイジにはレッドカード（退場）が提示された。

こんなデタラメな判定をされて、日本側の怒りが収まるはずがない。ベンチも猛抗議して、一触即発の事態になった。

ただ、トーキー主審は明らかに冷静さを失っており、これ以上何を言っても、彼は意地を張るしかなくなる、と僕は感じた。それにみんなで抗議しても日本のイメージが悪くなるだけで、キャプテン一人で話した方が主審は耳を傾けてくれると思った。だから、みんなには１度離れてもらって主審と１対１で話すことにした。

僕はこう言った。

「僕はあなたのために言っている。この試合は世界中で流れている。世界中の人たちが見ているんだから、しっかりとしたレフリングしてください」

トーキー主審はじっとこちらを見るだけで何も言わなかったが、少なくとも話を聞こうとしていることが伝わってきた。

そして、僕はくだけた感じの笑顔を作りながらこうつけ加えた。

「このあとは、日本寄りのジャッジで頼むよ」

トーキー主審がどう感じたかは分からないがその6分後、岡崎（慎司）がペナルティエリア内で倒されて、今度は日本にＰＫが与えられた。正直あとで映像を見たら、きわどい判定だったが主審はその前の誤審の帳尻を合わせたのかもしれない。

彼との関係には、実は後日談がある。

準決勝の韓国戦のとき、ウォーミングアップでピッチに出て行くと何とその日の副審がトーキーさんだったのである。彼は笑顔で「元気かい？」と話しかけてきた。

そして、延長前半7分、本田（圭佑）のパスに抜け出した岡崎がペナルティエリアの境界線のところで倒された。サウジアラビア人のガムディ主審はペナルティエリアの内側か外側か、一瞬迷った素振りを見せたが、トーキー副審が内側であることをはっきりと旗で示した。ガムディ主審はそれを確認すると、日本にＰＫを与えた。

レフリーとはいつどこで再会するか分からず、どんな腹が立つような誤審があったとしても、リスペクトを忘れずに接するべきだと再認識させられた一件だった。

アジアカップ優勝後に感じたこと。

これまで僕は、Jリーグ、天皇杯、ナビスコカップ、アジアチャンピオンズリーグ、ブンデスリーガで優勝を経験してきた。今回、そこにアジアカップのタイトルが加わった。

試合後、友達から「おまえは本当にタイトルに恵まれているな」というメールがたくさん届き、チームメイトからも同じようなことを言われた。記者の方からも、ミックスゾーンで「優勝する秘訣は？」と聞かれたりもした。

でも、この本でも書いてきたが秘訣なんてない。

チームメイト、監督、スタッフといったまわりの人たちに恵まれたとしか言いようがない。ただ、「タイトルを取りたい」という思いを強く持って、そのためにできることをすべてやったということだけは、自信を持って言える。

ほぼ毎日、マッサージを欠かさず受けて身体をメンテナンスした。また自分のことだけでなく、チームメイトがまわりに迷惑をかけるようなことをしていたら、すぐに注意するようにした。「ミーティングでも言ったように、それは気を遣えるはずだ」と。優勝の秘訣なんて分からないけれど、みんなが勝利のために何をできるかを考え、互いにリスペクトしあう集団になっていることが、少なくともタイトルを目指すうえでのスタートラインになると思う。

今回、何度も絶体絶命の窮地に追い込まれたというのに、負ける気が全然しなかった。カタール戦で麻也（吉田）が退場になった直後にFKから失点して1対2になったとき、一度は心が折れそうになった。けれど、まわりのチームメイトを見て、そしてベンチで手を叩いて励まそうとしてくれている仲間を見たら、こいつらとだったら試合をひっくり返せるんじゃないかと思った。

そういう感覚が決勝トーナメントに入ってからもずっと続いた。

韓国戦で真司（香川）が負傷して離脱するとき、真司は僕ら数人がいた部屋に寄って、「このチームなら大丈夫。絶対に優勝するよ。何となく分かるんだ」と言葉を残してくれた。ケガをした真司に僕らが逆に励まされ、さらに互いの絆《きずな》が深まった気がした。

相手の力云々《うんぬん》ではなく、仲間の可能性を感じていたからだと思う。

こいつらとだったら何か起こせる。その感覚は大会が終わった今でも、僕の心の中で生き続けている。

あとがき

まず初めに本書を読んでいただき、本当にありがとうございます。

このように一人前に本を出させていただきましたが、最初に本を出さないかと依頼されたときは絶対に無理だと断りました。自分はまだ若いですし、本とは自分にとって読むものであって書くものではないと思っていましたから。

そこからなぜ書かせていただこうと、考えが変わったのかというと、やはり南アフリカ・ワールドカップ出場が大きなきっかけでした。

それまでにも感じていたことではあったのですが、僕たち選手とファンやサポーターの間にはほとんどの場合に第三者（メディア）が入っています。これはごく普通のことなのですが、自分の考えや思いが意図したことと違う形で報道されてしまうことがあり、違和感がありました。

また、それに加えて、ワールドカップの盛り上がり方が、僕自身といわゆる世間の人たちとの間に大きな隔《へだ》たりがあったというのも要因のひとつです。

2つとも似たようなことなのですが、僕自身が感じた溝を埋めたい。選手たちの気持ちを直《じか》に伝えることによって、サッカーのまた違う楽しみ方を感じて欲しいという思いが大きくなり、書くことを決意しました。

本の題名にもあるように、僕がなぜこのように「心を整える」ことを重視しているのかというと、僕自身、自分が未熟で弱い人間だと認識しているからです。僕の周囲には、直感重視で心の整理整頓なんていらないよという人でも（僕にはそう見えるだけなのかもしれませんが）、素晴らしい結果を残してきた人、カッコ良く生きている人も沢山います。でも僕にはそれができないということが一番分かっているので、心の準備に神経と時間を費やします。

時折、もっと豪放に生きてみたいと憧《あこが》れることもありますが、自分自身の内なる弱さを認め、それと向き合って生きていくというのが自分に向いていると考えています。よく弱さを認めるのも強さであると聞くことがありますが、本当にその通りです。強がってばかりいてもすぐに一杯いっぱいになってしまいますし、自分の弱さを知ってこそ、人は他人に優しくなれるのではないでしょうか。

本書では、僕自身の今現在の考え方であったり、価値観を思ったままに書かせていただきました。この本に書いたことは僕自身のやり方や考え方であって、読者の方にこのようにして欲しいとか、考えを押しつけたりということはまったく想定していません。ただ、読んでいただき、読者の方の心のなかにほんの少しでも気づきがあれば幸いです。

僕自身、これからの人生でいろいろな人や本などに出会い、考え方も変わっていくでしょうし、もっともっと〝自分らしさ〟を磨いていきたいと思っています。

また、プロのサッカー選手としては、まだまだ成長できると考えています。自分のキャリアにはまったく満足できていません。日本代表に関しても、ワールドカップでベスト16で敗退してしまったということで、次のブラジル大会にも出場して、より高みを目指したいという意欲もわいています。

僕は今、27歳です。きっとこれからの人生の方がこれまでの人生よりも長くなることでしょう。僕にはやりたいことが本当に沢山あります。その夢を叶《かな》えるためにも、自分のペースで心を整えながらやっていきたいと思います。

最後に本書を出版するにあたり、スポーツライターの木崎伸也さんには多くのアドバイスをいただきました。また、編集の二本柳陵介さんをはじめとする幻冬舎の皆様、所属事務所であるスポーツコンサルティングジャパンの皆様など、本書に関わっていただいたすべての方に心から感謝申し上げます。

長谷部　誠

※著者の印税は全額、ユニセフを通じて「東日本大震災」支援のために寄付させていただきます。

日本音楽著作権協会(出)許諾第一〇二三六七一一五号

長谷部 誠

Makoto Hasebe

■プロフィール■
1984年1月18日、静岡県出身。3歳のときにサッカーを始め、青島東小のスポーツ少年団、青島中サッカー部を経て藤枝東高校入学。2001年の全国総体準優勝。'02年浦和レッズ加入。'08年ヴォルフスブルクへ移籍。'10年南アフリカ・ワールドカップではゲームキャプテンとして、4試合すべてに先発出場しベスト16進出。'11年AFCアジアカップではキャプテンとして、優勝に貢献した。ポジションはMF。179cm。O型。

装丁:松山裕一(UDM)
写真:市橋織江
:日刊スポーツ(P46)
高須力(P63、161)
アフロ(P171、215)
衣装:安西こずえ
ヘア&メイク:山口理沙
協力:(株)スポーツコンサルティングジャパン

※各選手の所属チーム名は一部省略させていただきました。
※所属チームなどのデータは2011年3月2日現在までのものです。

心を整える。

勝利をたぐり寄せるための56の習慣

2011年3月20日　第１刷発行
2011年6月20日　第15刷発行

著　者　長谷部 誠
発行者　見城 徹

発行所　株式会社 幻冬舎
〒151-0051
東京都渋谷区千駄ヶ谷4-9-7

電話:03(5411)6211(編集)
03(5411)6222(営業)
振替:00120-8-767643

印刷・製本所:図書印刷株式会社

検印廃止

ISBN978-4-344-01962-1 C0095
幻冬舎ホームページアドレス　http://www.gentosha.co.jp/

この本に関するご意見・ご感想をメールでいただく場合は、
comment@gentosha.co.jpまで。